凸凹道：「ソ連派」の青春

――民学同を生きて

吉田健二

ロゴス

まえがき

私は一九八〇年代に京都大学の学生だった時に、マルクス主義的な学生運動に参加していました。あのころ、大文字山の見える大学の構内のあちこちに、たくさんの立て看板が立っていました。様々な政治党派や学生自治会が昼休みに学園内でビラまき宣伝をするのは当たり前の光景でした。学生運動は六〇年代のような高揚は終わっていましたが、京都は革新的勢力の強い街でもあり、学園周辺はまだ六〇年代を思わせる雰囲気が残っていました。しかし、学生運動に夢中になった人間はそんなに多くはなかったので、我ながら珍しい人生を選んでしまったものだなとは思います。

小学生の頃にコミュニケーションが下手くそで、なにかといじめられていた経験があり、弱いものが権力に対して反撃に出るマルクス主義の考えに共鳴したのかもしれません。また、やはり小学生の頃に水俣病が大きな社会問題となり、大企業が海に毒を流して多くの人たちが不治の病で苦しんでいることを見て、金持ち企業が信用できないという気分は持っていました。また、大学に入る前から理系の人間だったので、湯川秀樹先生が素粒子理論に基づいてパイ中間子の存在を予言したように、どんなことがらにもその本質を貫く法則・理論があり、それを解明することで現実はより深く理解できると考えていました。そのあたりが、マルクスの政治経済理論にのめりこんだ原因だったのかもしれません。

それから四〇年近くが経過したわけですが、あの時なにがあったのか、それを明らかにしておくことが必要だと感じています。あの頃のことは、インターネットを開いても全く出てきません。誰もが口をつぐんだままです。なんとなく気まずい秘密にしたい時代、しかし、無かったことにしてはいけない歴史があり、成果も失敗も若い世代の教訓にいかせる経験談として残すべきと思うのです。また、学生運動を経験した人間が、就職してからどんな人生を歩んだのかも、記録しておくべきことだと思いました。

本書は、組織的な総括ではありません。あくまでも私個人の体験を、今になって振り返って思うことです。不正確さは免れませんが、美化や誇張など無いように書きたいと思います。

留意していただきたいのは、日本では社会運動をめぐる情勢が二〇一五年の安保法反対運動を転機に大きく変わったことです。それ以前は「セクト主義」という傾向がきわめて強かったのです。「セクト主義」とは、政党や政治団体が「自分さえ良ければいい」。他の政治団体は悪だ」と考え、他の政党・党派を口汚くののしるような行動パターンのことです。最近のような友愛に基づいた「野党共闘」の発想が無かったのです。暴力で故意に傷つけあい殺人にも及ぶ「内ゲバ」すらありました。今との違いを念頭に置いて、読んでいただければと思います。

凸凹道：「ソ連派」の青春――民学同を生きて　目次

第１章　一九八〇年代に体験した民学同──「ソ連派」と言われて

民主主義学生同盟（民主主義の旗派）に加入

私がマルクス主義と初めて出会って加入したのは民主主義学生同盟（民主主義の旗派）でした。民主主義学生同盟というのは、党派の中では地味な存在で、大きな事件を起こしたわけでもなく、世間にはあまり知られていません。同盟員の数は一度も公表されたことはなく、私が加入したころは数百人だったと思います。

運動団体の名前から説明しておかなければなりません。当時、「民主主義学生同盟」という名前の運動団体は三つありました。もともとは一つだったのですが、一九七〇年代に三つに分裂したのです。それぞれ、機関紙が「民主主義の旗」「新時代」「デモクラート」でした。三つとも「自分たちこそが正当な民主主義学生同盟である」と考えて争いあっていましたので、自ら「民主主義学生同盟〇〇派」という呼称を用いることはどこもしていませんでした。

当時の私なら自分で「民主主義の旗派」と名乗ることはなかったのですが、民主主義学生同盟が存在していない今になって振り返ると、意地を張りあうのは無意味だし、相互の運動を尊重しあう

「市民運動と野党の共闘」という観点から、他の党派のことも尊重し、自分の所属した運動団体は「民主主義の旗派」であると自己紹介することにしたいと思うようになったのです。

民主主義学生同盟は略称は民学同（みんがくどう）といいます。民主主義学生同盟は一九六三年に結成しました。その母体になったのは大阪府学連の運動でした。一九五九年から一九六〇年にかけての六〇年安保闘争で全員加盟制学生自治会の全国的な連合体「全学連」が大規模なデモで国会前に押しかけ岸内閣を総辞職に追い込んだ運動が展開されました。当時は学生運動は強力な政治的動員力を持つ独自の力を持っていて、学生運動を作る学生独自の政治党派の必要性があったのです。

民主主義学生同盟は日本共産党から除名された構造改革左派の流れをくむ学生党派で、結成直後には様々な路線の人がいたのですが、のちに「共産主義労働者党」（共労党）や「日本の声」の部分は脱退していきました。また、民主主義学生同盟は全共闘には参加しませんでしたし、暴力革命は目指しませんでした。また、日本共産党と社会党の積極的な役割を否定しませんでした。ですから、いわゆる新左翼ではありません。

以下、「民主主義学生同盟」と表記するのは「民主主義学生同盟民主主義の旗派」のことだと思ってください。

単一全学連の再建をめざした民学同

私は一九八〇年代しか知りません。一九六〇年代の学園紛争、一九七二年の連合赤軍事件、一九七〇年代の左翼党派による内ゲバによって、また高度経済成長による社会全体の変化によって、学生運動はすでに下火になっていました。しかし、七〇年代の残照で、少数派になってしまった学生自治会はまだ不十分ながら機能していましたし、学生自治会運動・全学連の再興ができるのではないかという過去へのあこがれもまだあったのだと思います。

世界的にはフォーディズムによる経済成長が止まり、イギリスで一九七九年にサッチャー政権が誕生し、新自由主義路線へと転換していく時期にあたっていました。今となって振り返ればその転換がのちにもたらしたものは絶大でした。資本主義の生産は労働者が過労死するほど加速し、終身雇用制の社会が崩壊し、非正規ばかりの超格差社会が生まれました。しかし、当時の政治活動をする活動家の間ではそんな深刻な時代の転換が来るとはまだ意識されていませんでした。

民主主義の旗派には「同盟三つの旗」というのがあって、「平和と平和共存」「反独占民主主義」「層としての学生運動」を掲げていました。また、「平和と民主主義、よりよき学生生活」を求める全員加盟制学生自治会の再建、単一全学連の再建を目標に掲げていました。「層としての学生運動」とは、平たく言えば、焦眉の政治課題を学生自治会が取り上げることで学生全員が国会包囲デモに参加するようになるということです。この内容は、一九七一年に現代政治研究会が発行した『層としての学生運動』という著作の中で定式化されていました（現代政治研究会は民主主義学生同盟の友好団体で、民主主義学生同盟の卒業生を含む労働者の政治党派でした）。

民主主義学生同盟は、日本を帝国主義国として理解し、独占資本による横暴を克服するために反独占統一戦線を形成し民主主義的な変革を行っていこうという政治同盟です。日本のマルクス主義運動の中に、「社会主義革命をめざす」（労農派系）のか「民族民主革命をめざす」（講座派系）のかの路線論争があった中で、そのどちらにも開かれた反独占統一戦線が解決の道筋だと考えたのです。反独占統一戦線の中心になるのは、共産党・社会党・総評だと考えていました。

民主主義をめざす大衆的政治同盟でしたので、前衛党とは違って「社会主義をめざす」とか「共産主義をめざす」とかは一致点ではないのですが、反独占統一戦線ができた暁には一段階革命であれ二段階革命であれ、社会主義をめざす構造改革を実施していくはずだと理解していました。大衆運動の力のみが社会を変革するという大衆への信頼（＝民主主義）を堅持し、一部のエリートによる武装蜂起のみによって社会が変わるはずは無いと考えていました。

マルクスの有名な『共産党宣言』（左翼活動家の必読文献）では、「共産主義者の目的は既存の全社会組織を暴力的に転覆することによってのみ達成できる」と書いてあります。革命が暴力を伴うのかどうかとか、プロレタリアート独裁については、民主主義学生同盟としての公式見解は無かったのです。しかし、「社会主義になる時に一回は血を見ることになる」とか「民主主義とは暴力である」と言う先輩の意見に誰も異論を唱えませんでした。暴力や独裁は革命のためならば必要悪であるとしてなんとなく正当化されていました。現存の日本共産党に独裁を任すわけにはいかないが、プロレタリアート独裁を担うことができる神のように優秀な前衛党が、将来には現れるのだという信仰のような気持ちを持っていました。

すべての民主的学友は
民学同に結集しよう
国際学連の旗の下
単一全学連を再建しよう

NO・299

民主主義の旗

民主主義学生同盟の３つの旗
☆ 平和と平和共存
☆ 反独占民主主義
☆ 層としての学生運動

全国大学に広がる中曽根打倒の闘い

軍事大国化に歯止めを！

「GNP１％突破!!」
―中曽根国会で発言

熊本大

大学の反動的再編に抗し
学園法廷一〇〇名で成功
クラスから決起！

愛知

総評統一ストに連帯し
県下一斉行動・集会

立命館

民青派の沈黙打ち破る
クラスト実行委展開

冬期支援カンパのお願い

闘争スローガン

「民主主義の旗」1982 年 12 月 30 日

原水爆禁止運動・核ミサイルトマホーク配備反対運動

アメリカのレーガン政権が一九八一年に巡航ミサイルトマホークを世界中に配備し「限定核戦争」という「核戦争を実行して生き残る」戦略を打ち出し、日本にもその持ち込みがされることが問題になりました。そのことがきっかけで、一九八二年に全国各地で数十万人規模の大規模な反核行動が開催されました。

一〇フィート運動によって作成されたヒロシマナガサキの記録映画「にんげんをかえせ」ができあがりました。私は、その映画を見て、核兵器はなくさなければいけないと強く感じました。そしてその上映運動から原水爆禁止運動に参加するようになりました。原水禁国民会議の森瀧一郎さんの話を聞き、「人類は生きにゃあならん」という言葉に感銘を受けました。

原爆忌の日に広島・長崎で開催された原水爆禁止世界大会（社会党系、共産党系の共同行動）に参加しました。被爆者の話を聞き、日本の歴史を学ぶようになりました。

大学の友人に呼びかけてクラスで自主上映会を行い、トマホーク問題、自衛隊問題、改憲問題などについて有志小グループでの勉強会を行ない、クラス全員で討論会も行いました。そのような中から政治同盟の必要性を認識し、民主主義学生同盟に加盟しました。

その後、一九八二年一一月に発足した中曽根康弘政権の不沈空母発言糾弾の運動や、一九八三年の核空母エンタープライズの佐世保入港反対現地闘争を行いました。

民主主義学生同盟は全国戦災傷害者連絡会と連帯関係にあり、被爆者援護法だけではなく戦時災害援護法の制定も要求していました。被爆者からの被爆体験の聞き取りだけではなく、大阪空襲などの空襲被害者・戦災傷害者から体験を聞く機会も多かったのです。

沖縄戦一フィート運動から嘉手納基地包囲へ

トマホークの配備に反対する運動を進めても、欧州のような足腰の強い圧倒的な運動の広がりが生まれませんでした。日本でアメリカの核配備問題について取り組むならば沖縄の反基地運動との連帯が不可欠なのではないかという問題意識から、沖縄問題に取り組むようになりました。

沖縄線記録フィルム一フィート運動を手始めに、沖縄戦を伝える運動を始めました。

一九八四年八月に関西一坪反戦地主会の沖縄ツアーで沖縄を初めて訪れました。「民主主義学生同盟の大会をさぼって沖縄に遊びに行くのか」と組織内でなじられたりしましたが、沖縄は絶対に自分の目で見てこなければならないところだという確信があったので、それを振り切って行きました。そして、読谷村のチビチリガマに案内していただき、集団自決の遺骨が散らばっているのを見ました。行けども行けども広がる米軍基地のすさまじさを見せつけられました。また、読谷村の村ぐるみ反基地運動に触れ、学びました。村議会が保守・革新の党派の枠を超えて米軍の軍事演習の被害に抗議していること、基地の中に畑を作り体育館を作ることで、着実に米軍基地の撤去を進めていることなど、本土では想像もできないような運動の形に感動しました。人間性豊かな文化村を作ることが米軍基地を撤去することであるという、沖縄の思想に学びました。

そして、一九八七年六・二三嘉手納基地を包囲する人間の輪に参加しました。土砂降りの雨の中で広大な基地を包囲した二万五〇〇〇人の中の一人であったことを誇らしく思いました。この行動は、のちの一九九五年米兵少女暴行事件糾弾沖縄一〇万人県民大会につながり、沖縄の反基地運動を大きく前進させることになりました。

また、人間の輪の前夜祭で歌手の海勢頭豊（うみせど・ゆたか）の歌を聞き、その年の秋から始まった大阪での海勢頭豊コンサートに取り組み始めました。

全国の反基地運動と連帯

沖縄の反基地運動に学んで、本土でも反基地運動を進めたいと考えました。

京都北部の舞鶴には海上自衛隊の大きな基地があります。五回の基地調査行動を行い、アメリカの空母機動部隊といっしょに核戦争を戦うほどの能力を持った最新鋭の護衛艦が配備されていることを明らかにしました。地元で反基地運動を続けている人と交流しました。また、軍艦の建造や整備で儲けている日立造船の実態も調べました。基地経済依存の町が出来上がっている実態をつかむことができました。

また、滋賀県の饗庭野演習場でのアメリカ海兵隊の軍事演習への抗議行動にも参加しました。饗庭野では、実弾が演習場の外まで飛んだという被害が出ていました。

また、青森県の三沢基地に米軍のF一六戦闘機が配備されたので、岩手大学の仲間と共に基地調査と反対運動を行いました。一九八八年七・二四の神奈川県厚木基地包囲行動にも参加しました。

国鉄分割民営化反対運動

中曽根政権は新自由主義的国家改造のために、総評・社会党を崩壊させようと画策し、国労つぶしのために一九八七年に国鉄の分割民営化を行いました。国鉄を分割することは、ローカル線の多い北海道・九州を切り捨てることを意味しました。それは、地方の衰退を意味します。国鉄が保有する莫大な資産を民間企業にタダ同然でくれてやるという問題もありました。また、多くの国鉄労働者が解雇されることが明らかでした。

東伸製鋼小川正明君の不当解雇撤回闘争から国鉄労働組合との連帯が始まり、一九八六年一〇月の国労修善寺大会以降、分割民営化反対運動に参加していきました。分割民営化前日の一九八七年三・三一東京総行動では、日本共産党系の学生団体と初めての統一集会を東大で行いました。そして何回も東京での国労の行動に参加しました。国労の六本木委員長を招いての学生集会も行ないました。労働運動というものを身近に感じるようになりました。

フィリピン学生運動との連帯

一九八六年二月、フィリピンでマルコス軍事独裁政権を追放するエドサ革命（ピープルズ・パワー）

が起きました。米軍基地撤去を闘うフィリピンの民衆運動との連帯を広げようと、フィリピン学生同盟と交流するようになりました。

その招待で一九八七年一一月にフィリピンを訪れ、激しい貧富の格差と米軍基地が引き起こす人権侵害、帝国主義の残虐さというものを実感しました。また、何万人もの民衆が幅広い道路を完全に封鎖して労働組合活動家虐殺抗議・反帝国主義のデモを行い、大統領府前でいつ発砲するかわからないフィリピン政府軍に対峙するのを見て、その闘いに勇気づけられました。軍の封鎖線を前にしてフィリピン語と日本語で歌ったインターナショナルの大合唱は忘れることができません。

フィリピンの山岳地帯では新人民軍による武装闘争も行われており、その現実にもふれました。もちろん、新人民軍そのものに会うことは許されませんでしたが、新人民軍の兵士の家族だという人の話を聞くことができました。

フィリピンの学生との交流をふまえて、ODA（政府開発援助）に対する批判を強めました。アジア諸国から日本に来ている留学生との交流や、フィリピン現地で見たことなどから、アジア諸国へのODAが「人道援助」とはほど遠いもので、アジア諸国に進出する日本企業への援助にしかなっておらず、現地の住民への人権侵害に使われてばかりいることがわかってきたからです。フィリピンに対する多国間援助計画を日本政府が主導で行おうとしていたので、それを日本帝国主義による経済侵略と考えて反対運動を行いました。

民衆運動の力により、フィリピンの米軍基地は一九九二年に撤去されました。

在日朝鮮・韓国人学生との連帯

その他、朝鮮半島の分断の問題、日韓問題、在日朝鮮人差別問題、被差別部落問題、障碍者差別問題などに触れることができました。

在日朝鮮・韓国人の学生とも交流を深め、光州事件や在日外国人の人権問題について学ぶことができました。「家族の中に三八度線があるんですよ」という在日朝鮮人学生の話を聞いて、南北分断がもたらした傷跡の深刻さを生活レベルで考えるようになりました。また、韓国民衆の文化表現であるマダン劇や伝統的な農楽（ノンアク）・サムルノリにも影響を受けました。

よく歌を歌っていた

民主主義学生同盟はよくデモや集会で歌を歌いました。「国際学連の歌」と「インターナショナル」が定番で、原爆反対の「青い空は」「原爆ゆるすまじ」や反基地歌の「この勝利ひびけとどけ」や労働歌の「がんばろう」や革命歌の「赤旗の歌」「ワルシャワ労働歌」「ベンセレーモス」など、伴奏もなしにたくさんの歌を歌いました。それは気分を明るくしてくれました。また、原水爆禁止などの署名を街頭でしょっちゅう集めていたので、もともとは引っ込み思案だった私は、初対面の人とも話をするのが苦にならなくなり、就職してからも仕事や労働組合活動に活かせるようになりました。

民主主義学生同盟は全国組織だったので、全国機関誌の編集活動にも携わりました。また、自分が学籍を持たない他の大学への支援にも取り組みました。見知らぬ地で「よそもの」がオルグをするのはたいへんハードな活動でしたが、多くの友人ができ、良い鍛錬になりました。

森信成思想と出会う

民主主義学生同盟に加盟する直前から学生唯物論研究会に参加し、森信成の『唯物論哲学入門』（新泉社、一九七二年）の勉強を始めました。エンゲルスの『空想から科学へ』、マルクスの『賃労働と資本』、レーニンの『帝国主義論』なども勉強しました。上級生になってくると、森信成の『マルクス主義と自由』（合同出版、一九六八年）も勉強しました。生活でも労働でも、社会で起きるものごとには二面があって、抑圧する側から見る視点と抑圧される側から見る視点と、裏表であることを学ぶことができました。また、何を考える時も物事の原則を明らかにし、発展法則を弁証法的に分析していくことを学びました。このような物の考え方は一生涯役に立つ財産となりました。

少数派にとどまった学生共闘

民主主義学生同盟は、学内で「学生共闘」という名称の自治会運動推進の闘争委員会を作っていました。これは、民主主義学生同盟が提起する政治課題の全国学生統一行動に各大学の学生自治会を参加させていくために、学内の世論を喚起していく共闘運動であるとされていました。実態は、

すべての民主的学友は民学同に結集しよう
国際学連の旗の下単一全学連を再建しよう

NO.324

民主主義の旗

民主主義学生同盟の3つの旗
☆ 平和と平和共存
☆ 反独占民主主義
☆ 層としての学生運動

3・1ビキニデーへ
核付きトマホークの六月配備阻止に向け
禁・協共同行動を克ち取ろう！

主張
反トマホークの禁協共同行動方針を

「限定核戦争」構想の完成狙う
問われる反トマホーク・反中曽根の闘い

実戦配備は六月

トマホークとは？

「限定核戦争」構想の背景
ベトナム戦争敗北を教訓化
編集局

旗手

2・28—3・1 ビキニデー 全国学生統一行動

行動提起

二・二九 全国学生平和集会

「民主主義の旗」1984 年 2 月 15 日

民主主義学生同盟の同盟員プラス若干の支持者で構成される委員会で、「共闘」と呼べるほど幅広い学生の集まりではありませんでした。

京大の教養部学生自治会の代議員大会を開催しようと、学生共闘が呼びかけたことがありました。教養部学生自治会は、日本共産党系の人たちによって細々と運営されていましたが、民主主義学生同盟はその自治会は正当な手続きを踏まずに作られた「でっちあげ」自治会であるとして、認めていませんでした。本当に自治会が成立するという要件を満たすためには代議員大会の開催が必要であると、全共闘で崩壊する以前の学生自治会の規約にはなっていたのだそうです。日本共産党の人たちがどう頑張ってもできなかった代議員大会の開催を、学生共闘と民主主義学生同盟が実現するのだと考えて呼びかけたわけです。しかも、代議員大会の要求するメインスローガンは「巡航核ミサイルトマホークの配備阻止」。当然ながらそれで代議員が集まるはずもありませんでした。結果的には不発に終わりました。

また別の時に「反核大学宣言」を実現しようと呼びかけたこともありました。着想としては良かったと思うのです。大学として核廃絶に向けての宣言を上げるというのは社会に対する良いメッセージになります。特に、京大のような大学では、政府の核政策に協力するような研究も行われていました。実際に私の友人の研究室でも原発の放射性廃棄物の海洋投棄に関連する研究が行われていました。そのような問題を取り上げて、例えば「一切の核開発につながる研究や軍事研究を拒否する」というような宣言を、学生自治会も教員も一緒になって作っていくのなら意味があったはずです。学生自治会の活性化につながったかもしれません。

しかし、やはり「巡航核ミサイルトマホークの配備阻止」というメインスローガンだけを強調した宣言にとどまり、幅広い視野を持っていませんでした。おかげで、身内の数十人だけで「宣言発布集会」を開催して終わってしまいました。社会に影響を与える効果は無かったのです。「最も大切なスローガンは何か」にこだわるあまりに、その他の課題はどうでもいいという発想になってしまっていたのですが、それでは幅広い学生の結集は難しかったと思います。

党派による学生自治会の私物化的運営が行われていて、多くの学生からは遊離していたので、本当に全員が参加する全学連の再建は夢のまた夢という感じでした。

ヘルメットはかぶらなかったジグザグデモ

民主主義学生同盟は非暴力による民主主義的改革という路線ではありましたが、国家権力との関係において実力で対峙するのは恐れませんでした。ジグザグデモをして機動隊に押されるのですが、団結して押し返すことはしました。しかし、機動隊員を殴ってはいけないという考えでした。ヘルメットはかぶらず、ゲバ棒も使いませんでした。覆面もしませんでした。合気道のように素手で暴力を受け流して勝負するのが潔いと考えていました。

ジグザグデモは、東京の伝統的な祭りの神輿の行列に起源をもつらしく、日本独特の表現方法です。デモ隊が前後左右に密着し集団で一塊になり、左右にジグザグに動きながら前進します。押しくらまんじゅうをするようなもので、機動隊の規制線にぶつかっても集団の力で押しあうことができます。まさに体力勝負の体育会系の集団示威でした。終わったあとはスポーツの後のような爽快感を味わえました。手に何かを持つわけにはいかず、一人ひとりがプラカードを掲げるということはしなかったので、周りから見たら何を訴えたいのかはわかりにくかったのではないでしょうか。人数が千人規模なら竜のようにジグザグにうねる隊列は迫力があるのでしょうが、百人では見ごたえがありません。数十人の時はしょぼいだけです。しかし、しょぼくても学生運動が動員力を持っていた時代からの伝統的な作法を守っていました。もっと効果的なデモの表現方法を考えたほうが良かったと思います。

大学自治を守るため機動隊と対峙

京都大学では当時、学生寮である吉田寮を廃止するのかどうかという問題が起こっていました。吉田寮自治会の執行部はトロツキー派（ブント系）やアナキスト系の方が多かったので、民主主義学生同盟とは戦術がなじまず、その問題で共同行動をすることはありませんでした。

一九八三年のある日、吉田寮自治会の学生が集団で大学の学生部に抗議に行ったことがありました。大学当局は京都府警に機動隊の出動を依頼しました。大学の中には警察機動隊は入ってはならないという不文律があったのですが、それが破られて大人数の機動隊が構内に入り学生部の建物を包囲するという事態になりました。民主主義学生同盟は、大学の自治が国家権力の一部である警察機動隊に侵されることは許されないと考え、緊急の抗議行動を行うことにしました。学生部の建物の周囲には吉田寮自治会を支持する学生がたくさん集まっていたので、その人たちと一緒に「機動隊は帰れ」という抗議行動を行いました。

そして、吉田寮自治会のメンバーが占拠を解除して学生部から出てくるということになったので、機動隊による逮捕を阻止するため、スクラムを組んで機動隊に対峙しました。そして、吉田寮自治会と共に、機動隊を学外へ押し返したのです。非暴力でありながら、広範な人びとの直接抗議行動によって大学の自治を守るという行動でした。残念ながら、数人の逮捕者が出てしまいました。その時、たまたま居合わせて抗議行動に参加した学生は、「自衛隊が大学に入ってきて、むかついた」と語りました。機動隊と自衛隊の区別がつかないような人であっても、権力が大学の自治を蹂躙したことに対しては危機感を感じたのでした。

セクトどうしの軋轢がある中で、現場判断でこのような行動を行うことはたいへん難しいことでした。

難しかった共産党との共同行動

民主主義学生同盟は、日本共産党を反独占統一戦線の中心となる政治勢力だととらえていたので、私たちは彼らを共同行動の相手であると考えていました。なので、学内の日本共産党の人に共同行動の申し入れに行っていました。でもそのたびに断られ、論争でけんかになるということの繰り返しでした。沖縄などで共産党系と社会党系との共同行動が進んでいるという話を聞いて、自分たちも実現したいと単純に考えたのです。共同行動を実現するには様ざまな条件があり、丁寧に下準備していかねば話が進まないとわかったのは、もっとあとになってからでした。

暴力が当たり前だった党派闘争

日本共産党がトロツキー派を「暴力学生」として警察に告発するのは、権力の怖さの過小評価であり卑怯なことだと考えていました。トロツキー派については、スローガンや戦術の一致が得られないので共同行動は無理だが、あくまで敵ではないととらえていました。

とは言っても、学園紛争の暴力的な党派闘争の名残が残り、中核派と革マル派とが内ゲバをしていた時代です。一九八六年には学内で中核派の学生が革マル派によって殺害される事件がありました。偶然、事件の近くにいた私は、血の付いたビラを目撃しました。何の感情もわきませんでした。当時は「中核派」という「記号」としてしかとらえられず、一人の血の通った人間が殺害されたという重大性を認識できるような状態ではありませんでした。人間としての感受性を殺して活動しなければ、自分の心の安定も組織の安全も守ることはできない状況だったのです。人の命の価値が低い、そこは戦場でした。

民主主義学生同盟も、トロツキー派、特に中核派との党派闘争の緊張関係が続いていました。宣伝活動の最中に小競り合いをすることはしょっちゅうありましたし、対応の際のちょっとした言動のまずさが、直ちに暴力的抗争に発展しかねませんでした。いつ殴られるかわからない緊張した日々が続いたこともありました。

また、反共組織である原理研究会による活動妨害も時どきあり、暴力を受けることもありました。格闘技に熟練した連中だったので、とてもかなう相手ではありませんでした。荒んだ日々でしたが、そんな学園状況を受け入れざるをえず、感情を押し殺して闘っていました。

友人の自殺が問いかけたもの

反基地の運動をいっしょにやっていた友人であるN君が急死するという事件が起きました。夜、下宿でビラを書いているところへ、共通の友人である人が「亡くなったよ」という知らせを伝えに来てくれました。あわててN君の下宿へ赴き、ご遺体と対面しました。大きなショックでした。

当初は、病死だと聞いていたのです。しかし、あとから自殺であったことがわかりました。それには、思い当たる節があったのです。N君は大学の研究室のことで悩んでいました。大学の理系の研究室は、産学協同と言って独占大企業の儲けにつながるような研究をするようになっていました。そして、そんな研究をしている研究室では、教授に気に入られれば就職も安泰。逆に教授に気に入られなければ就職もできないという状況だったのです。上の人に気に入られるような言動が得意ではなかったN君は、教授との軋轢で悩んでいたのです。

民主主義学生同盟は、独占企業が儲けのために大学を利用しようとし、大学の教育研究の場がゆがめられていることを批判していました。しかし、その現場で悩むN君が追い詰められていってしまったことに対して、何もできませんでした。

一人の人を救うこともできないのに社会を変えていくことなんてできるのか？　この問いかけは、私がその後ずっと背負わなければならないテーマになっていきました。

マイナスだった自己犠牲の雰囲気

民主主義学生同盟の活動では、自分の生活を犠牲にしてでも活動するのが美徳というような雰囲気がありました。活動優先で授業に出ないことも多かったのです。資本主義の危機が進んでいて、大きな政治変革がすぐにでも起きるという世界観であったので、六〇年安保闘争の高揚の時のような「革命家」のような気分になっていたわけです。

しかし、現実は革命がすぐに起きるわけではなく、変革は長期戦の構えで行わねばなりませんでした。ですから、生活を確立し、生活を踏まえて運動を作るのでなければ息が続きませんでした。「左翼エリート」のような自己犠牲のふるまいでは運動に参加する人が増えるはずがなく、マイナスだったのです。

革命のためのウソは許されるのか

民主主義学生同盟の活動の中で、ビラに誇張し過ぎた表現があることがありました。集会の報告をするビラに、参加人数が実際の倍くらいに書いてあるのです。「革命のためのプロパガンダは許されるとレーニンも言っている」と先輩に言われました。「ウソをつくのはイヤか？　こういう場合はウソをつかねばならないんだ」と言われたこともありました。私は、そんなウソを書いてもすぐばれると思っていたので、そういう誇張表現はできるだけ書きませんでした。民主主義学生同盟のビラに誇大な表現があることは、よくビラを読んでくれる学生は知っていました。すぐばれる姑息なウソは逆効果でしかなく、愚かなことでした。

しかし、「ウソはよくない」と言うと、「それは倫理主義だ」と批判される雰囲気がありました。マルクスが「法律や道徳はブルジョワジー的偏見だ」と書いたことを論拠に、倫理的に問題のある組織指導部の指令に対して疑問を持つことは「ブルジョア的な倫理主義」と言われて否定されたのです。

みんなの集合時間にいつも遅れて来るルーズな組織指導部の人物が、「時間どおりに来なきゃいけないというのは鼻持ちならない倫理主義だ」と開き直って、さすがに開いた口がふさがらないこともありました。

「民主集中制」でとんでもない目にあった経験

民主主義学生同盟は民主集中制の組織でした。民主集中制の組織で活動することは、ある意味で軍隊を経験するようなところがあります。「個人は組織に従い、少数は多数に従い、下部組織は上部組織に従う」というのが民主集中制です。決定は絶対です。自分個人としてはイヤだと思ったことでも実行しないといけない場面が出てきます。

それでも、上層部が信頼できる人であれば、厳しくてもやりがいを持って活動できるのです。しかし、もし上層部にとんでもない人物がついてしまったらどうでしょうか。このとんでもない事態に、ある時、私は直面してしまったのです。

ある人物が、仮にSとしておきますが、私の直属の上層部になったのです。Sは自分ではビラも書きません。組織の内外の仲間との約束も守りません。口のきき方が偉そうで何かと相手を馬鹿にすることを言うので支持者たちに嫌われてしまい、一対一の対話を申し込んでも断られてしまうので、そのうち支持者との話もしなくなりました。しかし、組織の中で命令だけはするのです。不勉強で自分では何もしないくせに下には無理な方針を押し付けてきます。

Sは、誰かと共に運動を作り上げる中で互いに学びあっていくという人間的な触れ合いには興味がありませんでした。では、Sは何が楽しくて活動をしていたのでしょうか。それは、自分が他人を一方的に「指導」し、将棋のコマのように動かしているという優越感にひたることでした。民主主義学生同盟の中での指導階級を上げること、つまり「出世」にはこだわりを持っていました。

ある日、民主主義学生同盟の一人の支持者からクレームが来ました。「Sさんは、大学を卒業しても学生運動を続けると言っている。おかしいでしょ」。おそらく、将来は就職もせず、日本全国の学生運動を高いところから指導し指揮する前衛党の指導部になるのだと妄想していたのだと思います。もちろん、そんな指導部など現実にはどこにも無かったのですが。

世間では最初から誰にも相手されないような人物なのですが、組織の中では自分が指導部だから言うことを聞けと、「民主集中制」を盾にして迫ってきました。そして、「民主集中制」である以上は、それを拒絶できないのです。Ｓの間違った指示に逆らえずに、人間関係を傷つけてしまい運動がぶちこわしになったこともありました。まさに、官僚主義の弊害そのものでした。

では、なぜそんな人物が組織の中で指導部に登用されたのでしょうか。それは、組織のさらに上の指導部にとって便利な人物だったからです。上層部に対してはイエスマンで、上から言われたことを下にごり押しで通すからです。

私は、指導部がどんなに腐っていても、だからと言って自分までもが腐ってしまったらおしまいだと思いました。ですから、歯を食いしばってＳの暴挙に耐え、自分の責任でＳの命令を凌駕するような方針を立案し、組織の指示を待つことなく自分で勉強・研鑽し、ひたすらビラを書いて多くの人と対話をし、運動を作りました。

最終的には、Ｓは運動の中に居場所が無くなり、組織の中でも化けの皮が剥がれ、去っていきました。

「民主集中制」は、Ｓのような勘違いをする人間を生み出します。現場を知らない上層部に忠誠を誓うふりをして取り入って組織の中の役職にいったん就いてしまえば、あとは下をこき使って好きにできるという、勘違いです。この弊害を克服するには、Ｓのような官僚の卑怯な怠惰を乗り越えて、生身の体を削って上層部を凌駕する運動を自分の責任で作るしかありません。それは、たいへん厳しい道でした。

自己中心的な人、何に対しても攻撃的な人、そういう性格の人は、時として「反権力」的な派手な言動をしたりします。ですから、マルクス主義的な運動体の中では「権力にはっきりと物を言う優れた人だ」と高く評価されてしまうことがあるのです。もちろん、こういう人を民衆運動そのものから排除する必要はないのです。しかし、そういう人を指導部に登用してしまってはいけないのです。

組織に寄生する人物、組織を私物化する人物とどう闘うか、真剣に考えなければいけません。「民主集中制」はそういった人物の隠れ蓑として悪用されていました。

さらに、のちに官僚的な企業で働くようになって、「民主集中制って資本主義企業の組織運営と変わらないな」と気づきました。「民主集中制」をマルクス・レーニン主義の神髄だと崇拝することのおかしさは、企業で働いてみればわかります。

消費税反対に取り組まなかった民学同

一九八〇年代後半から小選挙区制導入についての議論が与党内で始まり、一九九六年の衆議院選挙から実施されました。日本共産党は「小選挙区制反対」を掲げて運動を行っていました。しかし、民主主義学生同盟はこれにまったく取り組みませんでした。選挙制度なんてどうでもいいと考えていたのです。

また、一九八九年に消費税が開始されました。民主主義学生同盟は「消費税に反対」という見解は持っていましたが、反対運動にはまったく取り組みませんでした。経済問題は低レベルの問題だととらえ、人びとの生活への打撃を軽視していました。

新自由主義的な国家改造は軍事面だけではなく多面的であったわけですが、民主主義学生同盟としてはその深刻さの把握に遅れを取っていたと言えます。昔からの得意分野であった原水禁運動・安保闘争に重点があったのはそれでいいのかもしれませんが、他の問題についての分析が弱く、情勢の変化についていけていませんでした。

「ソ連派」と批判された民学同

さて、民主主義学生同盟は「ソ連派」「ソ連盲従集団」と他の党派から批判されていました。それはなぜでしょうか。

例えば、「日本政府は、ソ連邦の提起する対日核不使用協定交渉に応じろ」というスローガンを掲げていました。在日米軍の核兵器を撤去することを条件に、ソ連が日本に対しては核攻撃をしないという日ソ間の協定を結ぶという内容です。これは、あまりにもソ連よりの視点だと組織内でも不評だったので、のちに「日本政府は、日ソ核不使用協定交渉を行え」に変更になりました。

あまり表立って強調されてはいませんでしたが、「アジア集団安保体制の確立」というスローガンもありました。これは、日米安保条約を破棄したあと、自衛隊は廃止した上で、日本とソ連とその他のアジア諸国とで集団的安保条約、つまり多国間同盟を結ぶということです。東ヨーロッパにかつて存在したワルシャワ条約機構とは厳密には異なるのですが、大雑把に考えればソ連との同盟によって非武装日本の安全を守ろうという主張だったのです。ソ連に頼って平和を維持するということです。「社会主義国は戦争をしない」ということを前提にした考え方でした。

客観的に見れば、アメリカ帝国主義とソ連と、その侵略性をイコールとすることはできませんでした。ソ連に比べてアメリカの方がはるかに強力な軍事力を持ち世界中で侵略を行っていました。また、日本はアメリカの同盟国であり、アメリカに加担して基地を置き、アジア諸国にとって脅威となる軍備拡大路線を行っていたのです。日本の民衆運動の国際的な責任として、その口実になるような「反ソ連キャンペーン」を批判し、日米軍事同盟を糾弾する必要はあったのです。

しかし、ソ連の悪いところには意図的に目をつぶる傾向がありました。これについては、このあと詳しく書きたいと思います。

平和共存派の世界観

いわゆる「ソ連派」と呼ばれていた勢力、正確には平和共存派といいます。社会主義と資本主義との平和共存ということです。これは、どのような勢力だったのでしょうか。日本共産党から除名された志賀義雄の作った「日本の声」が代表的です。「日本の声」はソ連共産党ともつながりを持っていました。また、ソ連共産党と直接はつながっていなくても、その影響を受けた党派が存在しました。構造改革左派に分類されるいくつもの党派のうち、平和共存路線を肯定したグループが平和共存派です。民主主義学生同盟はその一つでした。

平和共存派の世界観は、今から考えると独特です。これは、一九六〇年に出された「八一か国共産党労働者党代表者会議の声明と世界各国人民へのよびかけ」（八一声明）に基づいていました。理論的には、「資本主義の全般的危機の理論」を支柱としていました。

「資本主義の全般的危機」の理論とは何でしょうか。ソ連での社会主義革命の成功によって、資本主義世界体制から社会主義世界体制への不可逆の移行が始まったという理論です。不可逆とは一方通行で後戻りしないということです。資本主義の全般的危機の第一段階は、第一次世界大戦の結果、ソ連一国が社会主義になったことによって始まりました。第二段階は、第二次世界大戦の結果、東欧や中国など多くの国で社会主義革命が起きたことにより、社会主義が「世界体制」になったことによって始まりました。第三段階は、アジア・アフリカ・ラテンアメリカ諸国で植民地が独立し、ソ連が科学技術大国になり「先進国」の仲間入りをしたことによって、帝国主義よりも社会主義世界体制の力が強くなったことによって始まりました。段階を進むごとに社会主義への転換はますます不可避になっていく、そういう世界観です。この内容は、一九七〇年に現代政治研究会が発行した『七〇年代と階級闘争』という著作の中で説明されていました。

全般的危機の第三段階では、反帝平和三大勢力（社会主義世界体制・民族解放勢力・先進資本主義

国での労働運動）の力によって資本主義が戦争をしようとする衝動を食い止めることが可能になっており、戦争をするという手段を縛られた資本主義国は内部で経済危機を深化させ、社会主義化が促進されるとしました。これが、社会主義体制と資本主義体制との「平和共存」が社会主義革命を促進するという理論です。確かに、社会主義国の登場によって帝国主義国どうしの戦争が起こりにくくなったことは事実です。

社会主義国批判を嫌った平和共存派

平和共存派の世界観では、「資本主義か社会主義か」という二分法が重視されました。そのため、「どのような社会主義国であるか」は無視されました。スターリンを公然と批判するトロツキーは「反共主義」であるとみなされました。「スターリンには問題があるのかもしれないが、帝国主義の圧力がある中でのスターリン批判は仲間割れであって、それは帝国主義を利することにしかならない」という考えでした。

平和共存派の組織の中では、社会主義国の中での暴力的な人権侵害は「デマ情報」として無かったことにされました。否定しきれない時には反革命を抑え込むための「必要悪」だと説明されたりしました。ロシア革命後の農民からの強制的な食糧徴発による飢餓、スターリンによる政治的虐殺などは無視されました。カンボジア共産党のポル・ポトによる民衆大量虐殺も、「だから中国共産党派はだめなんだ」という一言で片づけられていました。カンボジア共産党は中国共産党の「銃口から革命が起きる」という路線を踏襲していたからです。その中国共産党そのものに対する評価も「とにかくダメ」というだけで、具体性に欠けていました。

平和共存派の世界観では、ソ連の核兵器は、アメリカとの軍縮交渉でアメリカの核兵器を減らしていくための交渉材料であるとみなされました。「社会主義国の核兵器は、自らを否定するために存在する核兵器である」という、なんとなく弁証法に見せかけた論法で社会主義国の核兵器は正当化され、だから「ソ連の核兵器に反対」というスローガンをかかげてはいけないのだとされました。

とは言っても、ソ連の核実験を「人類の敵」として糾弾するかどうかをめぐって原水爆禁止日本協議会が一九六一年から内部分岐が発生し、一九六五年に社会党系が脱退して分裂した事例については、「ソ連の核実験は平和のためだからこれを糾弾してはならない」とした当時の日本共産党の主張はセクト主義であって認められないとしました。「マルクス主義的党派的判断」よりも大衆運動の団結の方が優先するという考え方です。

平和共存派の世界観では、「戦争というものは資本主義においてのみ必然的に発生してくる現象であって、社会主義には戦争を起こす必然性は無いのだから、社会主義国は戦争を仕掛けることは無い」とされました。実際には、ハンガリー事件、チェコ事件、中ソ国境紛争、アフガニスタン侵攻、カンボジア・ベトナム戦争、中国・ベトナム戦争など、社会主義国が引き起こした戦争が数多くありました。それは「その国の指導部のささやかな誤りであって本質的な問題ではない」とされ、人びとの苦しみは切り捨てられました。

ソ連とつながりが無いのに「ソ連派」?

ではなぜ、現実とは合わないこともある平和共存派の世界観を、それでも受け入れていたのかという問題があります。ソ連共産党とつながりがあった「日本の声」がソ連共産党を支持するのはわかりますが、ソ連共産党となんのつながりもない民主主義学生同盟（民主主義の旗派）がなぜソ連を支持する平和共存派であり続けたのか、よく考えるとおかしな話しです。

一九五六年のハンガリー事件などを通じて世界中でトロツキー派がスターリンを厳しく断罪し、スターリン派とトロツキー派との対立が激化しました。戦前、一九三八年に第四インターが創設され、四〇年にトロツキーが暗殺されていました。トロツキー派の運動は「スターリンのソ連とは違う社会主義の形」を追い求めるものでした。しかし、「スターリンがダメなら、どんな社会主義を作るか」という議論は世界のマルクス主義運動の中で結局は明確にされることはなく、決着がつきませんでした。

おそらく、議論の材料となるべき社会主義国の現実についての情報が不足していたのだと思います。理論や思考法はいろいろ出ても、どれが事実に会っているか検証することができなかったのではないでしょうか。

一方で、資本主義である日本での社会変革の運動を、社会の現場に根ざして作っていくことは待ったなしの課題でした。すると、いくら時間をかけても決着がつきそうにない議論をしている暇はないよという判断も、ありえたのだと思うのです。

議論する材料のとぼしい「どんな社会主義を作るか」という問題についての議論を、あえてしないでおくほうが余計な対立を回避できて大衆運動の利益になるという判断です。小難しいマルクス主義理論の空中戦とそれによる組織の混乱や分裂を避けて組織と大衆運動を守るために、実践的な便法として平和共存派の世界観が有効だったのではないかと思うのです。

それが、実践的に民主主義の大衆運動を作っていこうと考えた民主主義学生同盟の中で、現実とは合わない「ソ連派」であることが受け入れられた理由のように思います。

一方で、日本共産党は平和共存派ではありませんでした。日本共産党の場合は、「自主独立の党」という考え方で、ソ連共産党からも中国共産党からも自立して社会変革をしていく共産党であることを強調していました。このような態度も、「どのような社会主義をつくるか」という不毛な議論を避けるために必要だったのかもしれません。ソ連共産党と中国共産党とが激しく対立し、朝鮮労働党もキムイルソン主義という独特の理論を打ち出す中で、混乱を避けるためにはそういう判断もあったのでしょう。

アフガニスタン侵攻の時に

一九七九年のソ連のアフガニスタン侵攻によって、「社会主義国が戦争をするはずがない」というのが幻想であることがはっきりしてきました。しかし、平和共存派はなかなかその現実を直視しようとはしませんでした。民主主義学生同盟（民主主義の旗派）は、「ソ連のアフガニスタン侵攻は誤りである」という見解をとりあえず発表しました。しかし、他の平和共存派党派の中には、「侵攻を支持する」と発表したところもありました。「誤りである」とした民主主義の旗派の内部でも、アフガニスタン戦争によるアフガニスタン人の窮状を過小評価するような差別的な議論がありました。

その時の議論を思い出すと、私たちはアフガニスタンの人々の生活や歴史を全く理解しようとしない、侮辱的・差別的なことを平気でしゃべっていました。「ソ連のせいでアフガニスタン人が戦争難民になり劣悪な生活環境の難民キャンプで苦しんでいる」という中国共産党系の他党派のビラを見て、「どうせ、ボロボロの家に元から住んでいた人たちだろ。問題にする必要などない」などと、私は口走ってしまったこともありました。

のちに、二〇〇一年の九・一一テロ事件をきっかけにアメリカがアフガニスタン戦争を始めた時に、ペシャワール会の中村哲先生の講演を聞く機会があり、高い文化を誇るアフガニスタンの人たちの姿と戦乱の苦しみを知りました。自分がかつてアフガニスタンの人々を侮辱していたことに気づかされ、顔から火の出る思いをしました。

そして、それから私は革命歌「インターナショナル」を歌うことを封印しました。「インターナショナル」を歌う集会には参加しないと決めました。一時はソ連の国歌でもあった「インターナショナル」を、少なくとも自分の中での反省が完了するまでは、もう歌う気にはなれなくなったのです。

地球温暖化を無視した平和共存派

平和共存派は、地球温暖化の問題をどう考えていたのでしょうか。一九八〇年代に、地球全体の気温は上昇傾向に転じました。一九八五年には、地球温暖化に関する世界初めての学術会議であるフィラッハ会議が開催され、「二一世紀半ばにかつてない気温上昇が到来する」と警告しました。一九八八年には、気候変動に関する政府間パネル（ＩＰＣＣ）が設立されました。ですから、一九八〇年代には「二酸化炭素などの温室効果ガスをこのまま放出し続ければ地球温暖化が進み気候危機が訪れる」ということは報道されるようになっていました。しかし、温室効果ガス削減運動は政治運動としてはまだまだ小さいものでした。

民主主義学生同盟は、地球温暖化問題を取り上げることはありませんでした。なぜなら、生産力の発展によって資本主義が社会主義に変化するという昔からのマルクス主義を信じていたので、二酸化炭素ガスの排出を制限する、つまり石油や石炭を燃やす量を減らすということは、ソ連などの社会主義国の経済活動の妨げとなり、世界の社会主義化を阻害すると考えたからです。

地球温暖化問題に限らず、環境問題を論じることは、環境問題に無頓着な社会主義国にとってまずいことなので避けられていました。今から考えると信じられないかもしれませんが、「エコ」という言葉は環境保護論者を蔑視する差別語として使われていました。

驚くべきことに、「地球温暖化は待ったなしの人類的課題であり、資本主義の危機のあらわれである」という考えが一般に拡がっている二〇二一年になっても、元ソ連派の活動家の中には「地球はまったく温暖化などしていない。デマである」と信じている人がいるのです。一度刷り込まれた教条はなかなか消えないのです。

九〇年代に活動を休止した民主主義学生同盟

一九九一年のソ連邦の崩壊と、一九八九〜一九九〇年の東西ドイツ統一など、社会主義世界体制が崩壊したことによって、「資本主義は不可逆に社会主義に移行する」という平和共存派の理論は誤りであったことが誰の目にも明らかになりました。

私は一九八〇年代の終わりに民主主義学生同盟を卒業して労働者になりました。そして、一九九〇年代のいつごろだったか、民主主義学生同盟（民主主義の旗派）は活動を休止しました。民主主義学生同盟は卒業後は後輩たちの運動に口出しをしないという不文律を持っていました。ですから、最後にどういういきさつで行き詰まり、活動休止になったのかは聞いていません。ただ、私が卒業前に「いっしょに闘おう」と話をして民主主義学生同盟に加入してもらった人が活動休止に直面した最後の世代になったわけです。

人生をかける意気込みで取り組んだ運動を閉じるというのはたいへんつらいことですし、後始末もたいへんです。つらい体験を押し付けてしまったかもしれないと今になって思い、心が痛みます。一九八〇年代の終わりには運動体の終末期が迫っていることまでは認識できずにいたから「いっしょに闘おう」と誘ったのです。つらい思いをさせた責任は、私にもあると思っています。考えてみれば、一九七九年のアフガニスタン侵攻以降、平和共存派は理論的に大きく揺らいでいました。実践的には古典的な活動方針はジリ貧で、一九八〇年代後半には徐々に平和共存派からの脱却が始まっていました。

沖縄連帯運動やフィリピン連帯運動はソ連派の思考の枠組みに入っていませんでした。ソ連派は「ソ連を中心とする社会主義体制を包囲するアメリカ帝国主義・日本帝国主義による核戦争侵略体制」を批判するという世界観でした。それに対し、「沖縄、フィリピン、そしてアジア諸国への日本帝国主義の経済侵略とアメリカ軍基地による抑圧被害」を許すなという世界観へと、変わっていったわけです。パラダイムチェンジと言ってもよいものでした。思えば、私は、パラダイムチェンジに真っ先に実践的に取り組む斬り込み隊長のような役割を果たしていました。

しかし、ソ連派の理論の根本的な修正にまで取り組むことはできませんでした。

情勢変化の中で実践的に破綻した平和共存派ですが、ではなぜ民主派が「ソ連派」へと偏向していったのか、その哲学的・思想的な背景にも目を向けておかねばなりません。民主主義学生同盟の思想的背景であった森信成に触れないわけにはいきません。それは、またあとで書きたいと思います。

第2章　民学同を卒業して　働きながら活動を継続

民間労働者になり現代政治研究会の活動を開始

一九八九年に民主主義学生同盟を卒業してから、どんな人生を歩んできたのか、書いておきたいと思います。学生の時に学生運動をしていた人間でも、就職すると転向して会社人間になってしまうという話がよくあるのですが、必ずしもそうではない場合もあるからです。

大学を卒業した私は、大阪にある民間企業に就職しました。

民主主義学生同盟を卒業する前から、自分の人生の進路としては普通の労働者になって生きていこうと考えていました。政治家や政治学者や職業的革命家をめざすのではなく、労働者として働きながら資本主義の矛盾のただなかに身を置き、一人の民衆として政治変革の運動に参加していこうと考えました。ロシアのナロードニキが「人民の中へ」というスローガンを掲げ、人民の中へ入っていって革命運動をと呼びかけましたが、その言い方は、私には上から目線に思えます。正直言って、金持ちになりたくても、金持ちになることなど望めなかったし、競争主義はうんざりだし、他人を蹴落とすような気分にはなれないというところでしょうか。自分自身が生まれつき一般庶民である、そう自覚することが民主主義的な態度であり、自分の生き方にはふさわしいと考えたのです。民主主義学生同盟（民主主義の旗派）の卒業生のうち多くが加入していた現代政治研究会で活動することを選びました。

現代政治研究会は、職場の現実に根差しながら地道に職場から労働運動を興していこうと考えて活動していました。理論政策としてはソ連派だったのですが、ソ連派が職場になじめるはずはなかったので、実践的にはソ連派とは無縁な活動スタイルとなっていました。

入職した当時は、まずは職場の人に明るくあいさつをして、まじめに働いて一人前の労働者になることを重視しました。職場になじんできたら、職場で労働組合をどうするかとか、現代政治研究会の地域活動にどう取り組むかゆっくり考えていこうという感じでした。

とりあえずは、働く青年の全国交歓会の地域の集まりに顔を出しながら、自分の職場の事を考えていくことになりました。

共産党員が経営する企業に勤務

入職してからわかったのですが、私が入った企業は珍しいことに経営者が日本共産党の方でした。そのせいで、企業の幹部に共産党の人が多かったのです。入職当時、課長以上は過半数が共産党の人だったのではないでしょうか。しかし、別に共産主義的な経営が行われていたわけではありません。経営幹部には経営トップの家族・親族が多く、普通に親族主義的経営が行われていました。

共産党員の幹部は、経営トップに対する忠誠心はあったようで、サービス残業とか平気でやっていました。しかし、当然ながら経営学について勉強してきた人たちではないので、管理職としての実力がどうだったかは未知数でした。やがて経営トップは共産党員の幹部達に管理をまかせてもうまくいかないと思うようになりました。

かなり後になって、経営トップが高齢化し跡継ぎ問題が発生した頃、経営トップは自分の後継者として、親族の友人を連れてきました。もちろん共産党とは無縁な人です。その人は経営トップに忠実にふるまいながら、ゆっくりと自分の独自の人脈を育てていきました。何年かたってその人が実権をにぎるにつれ、共産党員のパージが始まりました。そしてついには、共産党員の経営トップその人までもが追放されてしまったのです。上手に乗っ取られた形でした。

私は、できるだけ日本共産党の人たちに協力していこうと考えていたのですが、セクト的傾向がある人が多く、拒絶されることばかりだったのです。日本共産党がセクト主義的でなくなったのは二〇一五年の安保法のころからでしたが、その時点ではすでに職場内での共産党の影響力はほとんど無いに等しい状態になっていました。

職場の企業内労働組合の役員として

入職した企業には、企業内労働組合がありました。職場に共産党の人が多かったからでしょうが、その労働組合の執行部も共産党の人が中心でした。ですから、上部団体としては全労連に加盟していました。

入職した頃には、正社員は企業内労働組合に加入するのが当然のような感じでした。パート職員で労働組合に加入している人は少なかったのです。正社員中心の労働組合でした。

私は、企業内労働組合の行事に誘われた時にはできるだけ参加するようにしました。勉強になると思ったからです。そのうちに、執行委員をやってみないかという誘いも来て、執行委員になりました。経営との団体交渉に参加しました。最初は話を聞いているだけでしたが、だんだん勉強を重ねるうちに、自分の問題意識で発言ができるようになりました。

ある時、パート労働者の産休問題が発生しました。当時、正社員には産休があったのですが、パート労働者には産休が無かったのです。パート労働者は産休に入る時点でいったん退職して、産休が終わったら再度入職するという形を取っていました。それは出産するパート労働者の地位を不安定にするものでした。私は、労働基準法を調べ、団体交渉でパート労働者の産休制度を強く要求しました。そして経営側がパート労働者の産休を制度として導入すると認めたのです。しかし、他の執行委員はこのことには無関心でした。正社員中心の発想から抜けきれなかったのだと思います。

また、一回だけですが、賃上げを求めてストライキをしたことがありました。朝の始業を三〇分間程度遅らせるだけの短時間ストライキでした。しかし、ストライキをしたことで膠着状態だった交渉が動き、経営側からの前進回答を勝ち取ることができました。労働組合が職場を止めるというのは、重要な権利の行使だとわかりました。一方で、そんな短時間のストライキでも組合員が足並みをそろえるための下準備はなかなかたいへんでした。

選挙をめぐるセクト主義に難渋

選挙運動をどうするのかは困りものでした。大阪府知事選挙があって、労働組合としては共産党系の候補を推薦するので選挙のビラを配りに行けと組合員に言うのです。近所の地図を渡されて、地図に示されている地域の各戸ビラ入れをしてくれという指示がされます。私は共産党系のその候補を支持していたので、仕事が終わってから夜遅くまでかかって各戸ビラ入れを行いました。しかし、組合員の中には、その候補を支持しない人もたくさんいたのです。「なんで共産党の手伝いをしないといけないのか」という疑問の声が出ます。私は、「組合の仕事だからとにかく手伝え」と組合員に強制したくはありませんでした。支持もしない候補の選挙運動に組合員を動員するわけにはいきませんでした。

執行部の三役に困っていることを伝えました。すると、「知事の候補は共産党の候補ではないんだよ」と言うのです。全労連とかいくつかの団体が集まって「革新府政の会」を作り、そこで誰を知事候補にするかを話し合った結果として決まった候補であって、たまたま共産党もその人を推薦しているのだと言うのです。

こんなすり替えの理屈が通るはずがありません。候補者を決める話し合いに現場組合員は参加していないわけですから。問題は、「労働者なら誰でも一致してこの人に入れるよね」という野党統一候補ではなかったということです。共産党を支持する全労連と、共産党を支持しない連合とが対立していました。だから、労働組合の中で「誰に投票したらいいのか」という議論すら行うことができない状況だったのです。それなのに、候補者のビラを配れとたいへんな作業を強いるのですから、労働組合の現場が混乱するのは当然でした。

労働組合を政党や政治団体の下請けのように使うというセクト主義的・官僚主義的な発想は、まったくの誤りです。労働組合が知事の候補者を立てるのなら、労働者なら誰でも投票して当然な候補者であることを、職場現場の議論の中で丁寧に明らかにしていかなくてはなりません。

このようなことが続いたので、労働組合に加入したいという人はどんどん減っていきました。そのうち、執行部の中でも中心になっていた経験豊かな人が定年退職していなくなっていくと、労働組合はまったく頼りないものになってしまいました。私も三年間ほどで執行委員を降りることになりました。

国鉄労働組合解雇撤回闘争に連帯して

一九八七年四月一日に国鉄が分割民営化され、ＪＲに変わりました。その時に、たくさんの国鉄労働者がＪＲに採用されず、解雇されました。解雇された人のほとんどは国鉄労働組合（国労）の組合員でした。この時、はっきりと労働組合差別があったのです。会社に忠誠を誓う御用組合の労働者は解雇されず、国労の労働者ばかりが解雇されたのです。

全国で一〇四七人の国鉄労働者が、解雇撤回つまりＪＲへの職場復帰を求めました。多くは北海道と九州の人たちでした。北海道と九州は赤字のローカル線が多くあるため、ＪＲは地域住民の生活を切り捨ててでもローカル線廃止をもくろんでいました。そのため、労働者の数も減らしてしまおうと考えたのです。

国鉄労働組合は、解雇された労働者の生活を支援するために、物品販売を始めました。国労ラーメン、国労ビールなどの商品開発をし、また北海道や九州の特産品を商品化し、全国に販売するルートを作りました。

私は、職場で国労の物品販売支援の活動を始めました。北海道のアイヌ文化の香りのする鮭の燻製や、九州のもつ鍋のレトルトパックなどを購入しました。職場で物品販売のカタログと申込用紙を回覧し、申し込みを集計して国労の物品販売センターに連絡し、送られてきた物品を職場で配布して集金して振り込む。手間のかかる活動でしたが、何回も繰り返し取り組みました。

大阪には、国労熊本闘争団のオルグが常駐するようになりました。地域の労働組合を回って物品を買ってもらい、解雇撤回への支援を訴えるためです。熊本闘争団の物品販売の目玉は馬刺しの燻製でした。馬肉を燻製にしたもので、真空パックで常温でも保存できるようにしたものです。きゅうりと生姜を刻んでいっしょに食べると、たいへん美味しいのです。

私は、自分の職場にも熊本闘争団のオルグに来てもらい、物品販売を広げようと考えました。自分だけの力ではそんなに広がらないので、企業内労働組合の執行部に協力をお願いすると、職員食堂の前の廊下に机を出して物品販売コーナーを出店する手配をしてくれました。昼休みの休憩時間に昼ごはんも食べずに、オルグの人といっしょに物品販売を行いました。また、別の日にはオルグの人の話を聞くという場を設定して、職場の人に話を聞いてもらったりしました。そんなこともしたので、職場で物品販売のカタログを回しても申し込んでくれる人が多かったのです。

熊本闘争団からオルグに来ていたのは、「熊本」という名前にはなっていますが、福岡県の大牟田の方でした。国鉄の社内組織の都合で、九州が四つの支社に分かれており、その一つが熊本支社で、福岡県の大牟田まで所管していたのです。大牟田というのは三井三池炭鉱のあった町で、一九五九年から六〇年にかけての三井三池闘争の伝統を引き継いでまじめに労働組合に取り組む文化が根付いていたのだと思います。オルグにいらっしゃっていた方は、慣れない大阪という都会で、筆舌に尽くしがたい苦労をされていました。

私は、分割民営化に伴う組合差別の不当解雇を許していては労働組合の危機が深まってしまうという思いで、職場での国労支援を広げました。しかし、国鉄分割民営化は日本の国家あげての国労つぶし、総評つぶし、ひいては社会党つぶしの確信犯的な攻撃でした。また、新自由主義的な国家改造の中心環でした。国の方もそう簡単には妥協しなかったのです。全国各地の地方労働委員会では組合差別で解雇は無効であるという命令が出たのに、国もＪＲもそれを無視し続けました。闘争費と生活費を物販でかせぎながらオルグを続ける生活はたいへんで、長期化するにつれ国労の内部でも意見の違いが出るようになったのです。団結は揺らいでいきました。

国労は、「どんなに長くても明けない夜はない」「我々は勝つまで闘う、だから負けることはない」「これは持久戦だ、敵より一日長く闘えば勝てる」と頑張りましたし、私もそのための支援体制を広げようと頑張ったのですが、あまりの長期戦に持ち込まれてしまった場合、やはり金と権力とを持つ国とＪＲに勝つことは至難のわざでした。ど根性だけでは、権力には勝てなかったのです。

そうこうしている間にも、職場での非正規化はあれよあれよというまに進んで行きました。企業内労働組合の弱体化と同時に職場内の権利は切り崩されていきました。国労支援と同時並行的に、企業内労働組合をどうするのか、職場をどうするのかという戦略的な判断が必要であったのだと思います。

沖縄の文化にふれて

学生時代のところで触れた沖縄の歌手、海勢頭豊のコンサートが、毎年、関西でも開催されるようになりました。私は働くようになってからコンサート実行委員会に顔を出すようになりました。海勢頭豊はクラッシックギターを弾く音楽家ですが、もともとは沖縄の平安座島の神人（カミンチュ）の生まれの人です。地元の伝統的宗教行事を取り仕切ってきた家に生まれたということです。

米軍占領下の、嘉手納基地の近くのコザの町の繁華街でライブハウスをしていたことがあり、米軍兵士の起こす犯罪や横暴を目の当たりにし、沖縄民衆の怒りが爆発して米軍車両や嘉手納基地ゲートを焼き討ちにした、一九七〇年のコザ事件を経験してきました。そんな経験の中から、反基地の歌「喜瀬武原（キセンバル）」を歌っていました。

「キセンバル陽は落ちて月が昇るころ君はどこにいるのか姿も見せず」と、せつせつと歌う喜瀬武原は、喜瀬武原闘争のことをよく知らない人には何を言っているのか全くわからないのです。しかし、県道を封鎖して喜瀬武原の集落の上を実弾が飛び交う砲撃訓練を米軍が強行し、地元民にとって神聖な水源地である山が山火事になり、その軍事演習をなんとしても止めたいと着弾地に侵入して狼煙を上げて演習の強行を阻止したという喜瀬武原闘争の歴史を知った時、その意味が深く胸にしみました。

海勢頭豊は「団結ガンバロー」というコブシを下したあとに、落ち込んで闘いをやめてしまう人がいる。それではいけない」と語りました。この闘いは、闘っても闘っても米軍を止めることができないから、勇ましい歌でその場だけ表面的に鼓舞しても意味が無かったのです。「闘いつかれて家路をたどりゃ友の歌声が心に残る」と海勢頭豊は歌いました。

沖縄には伝統的な独特の宗教観があります。人の命は潮の満ち引きとつながっていると考えられていました。亡くなった人の魂は水平線のはるか向こうにあるニライカナイにある後生（グソー）に行くと考えられていました。ニライカナイは死者の魂が行く場であると同時に、島の守り神である弥勒（ミルク）がやってくる場所でもありました。弥勒は、仏教に取り入れられて弥勒菩薩として未来の平穏を守ってくれる存在ですが、仏教伝来以前から東アジアにある道教的な神です。沖縄の離島では祭りには弥勒の扮装をした人が村を練り歩きます。

弥勒のことは、有名な琉歌にも出てきます。琉球芝居の中に出てくるのですが、明治政府による琉球処分（一八七九年）によって琉球の王の地位をはく奪され東京に拉致された尚泰王が、首里を去る時に詠んだのです（あくまでもお芝居の中の話であり、史実ではありません）。「いくさ世んしまち、ミルク世んやがて、嘆くなよ臣下、ぬちどぅ宝」。「戦争の時代は終わり、弥勒の約束する平和な時代がやがてやってくる。嘆くなよ臣下たち。命こそ宝だよ」と、どんなに悔しくても命を失うような早まった行為をするなと諭したというのです。

現在、米軍基地建設で海の埋め立てが進んでいる辺野古の海岸には、小さな祠があります。沖縄の伝統的な御願所（うがんじょ）は、ご神体というものを祀りません。自然そのものが神であると考えられているからです。辺野古の祠にもご神体は何もありません。しかし、ここの祠は沖縄全体の守護神である龍神を祀ったものとされています。龍神が卵を産むのが辺野古のサンゴ礁の海岸です。ここを埋め立てるなどというのは、地元の人たちにとってはありえないことです。

辺野古の龍神というのは、実体としてはジュゴンではないかと考えられています。特別天然記念物であり絶滅危惧種である沖縄のジュゴンを、基地建設によって絶滅に追い込んではいけないと、海勢頭豊は強調していました。

沖縄には「肝苦りさ」（ちむぐりさ）という言葉があります。例えば、いじめられている人を見た時に、「ちむぐりさぬ、ならんぐとぅ」と言います。「肝が苦しくて、どうしようもないことだ」という意味ですが、これは「かわいそう」とは違います。

苦しんでいる人を見ると、自分の中で苦しめられた時の思いがよみがえるので、肝臓のあたりが苦しくてどうしようもない。そういう意味で使われます。これは、苦しむ人に対して一段上からの目線でかわいそうと言うのではなく、自分もまた苦しいという、苦しめられてきた人どうしの共感と共苦を現した言葉なのです。

沖縄には、私たち本土（大和）の日本人が明治維新以降に資本主義化する中で奪われてしまった、民衆どうしが喜びや苦しみをわかちあう発想が、いまでも脈々と生き続けていると思います。そのような点を、沖縄の文化を通じて学ぶことができるのです。

私は、何回も沖縄を訪れました。一九九五年の米兵少女暴行事件糾弾一〇万人県民大会にも参加しました。辺野古基地のゲート前の座り込みにも行きました。そして、海勢頭豊のコンサートを一緒に作ることなどを通じて、沖縄の社会状況や文化を本土に伝えてきました。

沖縄のエイサーを受け継ぐ

沖縄の盆踊りはエイサーと呼ばれます。私がエイサーを初めて見たのは、在大阪の沖縄県民の「がじまるの会」のエイサーでした。勇壮な踊りと太鼓に、強く心が突き動かされました。その後、嘉手納基地包囲人間の輪行動の時も、沖縄の地元の青年団のエイサーを見ました。

エイサーの起源は、浄土宗の踊念仏にあると言われています。浄土宗の袋中上人（たいちゅうしょうにん）が、中国（明国）に仏教の勉強のため訪問しようとしたが許可されず、沖縄に漂着したのは一六〇三年、徳川幕府が開かれた年でした。袋中上人は琉球国王に丁寧に扱われ、寺院の建立も許可されました。上人は、そこで念仏に旋律をつけて歌にし、さらに踊りの型をつけて、踊念仏にして広めたのです。それがエイサーの起源です。

エイサーは、沖縄のお盆で、祖先の霊を呼び戻すウムケーという儀式と、お盆の終わりに霊を送り返すウークイという儀式で踊られます。ですから、それは死者の魂と対話するという行為なのです。

沖縄で今もエイサーが踊り継がれているのは、祖先の霊を供養し死者と対話するという沖縄の伝統があるからです。

私は本土（大和）の人間によるエイサー隊の発足をお手伝いしました。海勢頭コンサートなどを通じて「がじまるの会」との交流が生まれ、本土の人の中にもエイサーを踊りたいという人が現れたからです。しかし、「かっこいいから」というような理由だけで、沖縄県民の思いと無関係のところで本土の人間がエイサーを始めるのはいけないことでした。それは文化を奪い取ることであり、侵略だからです。あくまでも、沖縄県民との交流の中から、沖縄県民が差別されてきた苦しみも受け止めながら、沖縄戦で亡くなった方の魂の慰霊の思いをこめながら、エイサーを受け継いでいくのが必要だと考えて取り組みました。大阪でのエイサー大会に出場できた時は責任の重さを痛感しました。私自身はエイサーを踊りませんが、そのような形でエイサーを受け継ぐ若者が大阪にもいることは大変うれしいことです。

韓国の恨の心とつながる

また、彫刻家の金城実（きんじょう・みのる）さんの反戦モニュメントを制作する活動にも参加してきました。金城実さんは沖縄の離島の生まれで、「子どものころ島に初めて食堂ができたが、島民の反対で店は閉じた。人にメシを食わせて金を取るとはなにごとか！と皆は思ったんだ」と、何でも金で買える資本主義への根本的な疑問を語る方です。

太平洋戦争沖縄被徴発朝鮮半島出身者恨（ハン）之碑を金城実さんは制作しましたが、一九九九年八月の韓国慶尚北道の英陽（ヨンヤン）での除幕式に私は参加しました。

八〇年前、太平洋戦争・沖縄戦の時に朝鮮半島から一〇〇万人もの人が徴用され、軍夫として戦争の最前線で過酷な作業に従事させられたのです。そして多くの方が亡くなりました。沖縄の阿嘉島で軍夫として従軍していた姜仁相（カン・インチャン）さんは同胞の軍夫一二人が日本軍によって殺害されるのを目の当たりにしました。その姜さんの願いで、沖縄と故郷の英陽とに慰霊碑を作ることになったのです。沖縄での碑の設置は、阿嘉島では実現できず、読谷村に設置されました。

英陽での除幕式には金城実さんも参加しました。また、月桃の花歌舞団による慰霊のエイサーも奉納されました。

ここで、「恨」という言葉ですが、韓国語では「ハン」と読みます。日本語では「うらみ」となるわけですが、日本語の怨恨とはかなり違う意味があるのです。「恨」は、強い苦しみが心の中で解決しがたいしこりになって、それが苦しみを生み出すものへの底深い怒りとなり、望むべき新たな生命を生み出すための強いエネルギーに転化していくものなのです。問題が解決し、「恨」が解けることを「恨解（ハンプリ）」と言います。「ハンプリ」は抑圧されたものの勝利であり、赦しと共生の実現です。「ハン」は、「ハンプリ」を目指す前向きな力になるのです。

金城実さんは、沖縄の「ちむぐりさ」の心に韓国・朝鮮の「恨」の心がつながってこそ、東アジアの民衆の解放へと向かう力になるとおっしゃっています。

フィリピンの文化にふれて

フィリピンのテアトロパブリカという文化運動グループとの交流をしました。テアトロパブリカとは、フィリピン語で「工場劇場」という意味です。歌や演劇を通じて労働運動を推進するという活動をしています。その役割は、労働組合の集会で合唱をして団結感を盛り上げるということもあります。それだけではなく、労働者のワークショップを行って職場の問題を寸劇に表現してみることで、職場の仲間どうしで共通の要求を確認し、職場の労働組合結成を促進するという活動もあります。

テアトロパブリカのアリソン・オパオンというリーダーを大阪に招いて交流会を行った時、私は道案内役で付き添っていたので、いろいろと話をする機会がありました。労働組合のストライキの話になり、私が「私もストライキの経験がある。仕事開始時間を三〇分間遅らせた」と言うと、彼は陽気に笑いながら「それはフィリピンではストライキとは言わないよ。仕事を遅く始めるのはスローダウンという戦術だ」と言いました。フィリピンではストライキと言えば、会社の入り口を封鎖することなのだそうです。そして、会社の玄関にテントを立てて誰も入れないようにピケットラインを作り、そこで何日間でも寝泊まりするのだそうです。「会社でストライキをするぞと言ったら、じゃあ鍋は誰が持ってくるんだという話になるわけさ」と彼は言いました。さらに「私は、今もストライキ中なのさ。もう何年間もね」と言います。会社との紛争が解決しないから、ストライキを続けながらテアトロパブリカの活動をフルタイムで続けていると言うのです。

「どんどんビラを作ったらいい。どんどんビラを配ったらいい。大切なのは誰もが友達だと思うことだ」。そう言うアリソンは、確かに初対面の人でも、言葉が通じなくても、親しげに話しかけてすぐに友達になってしまいます。なるほど、こういうフレンドリーさが労働組合を作るうえでは大切なんだなと教えてもらいました。

フィリピン人は、日本人よりもフレンドリーで、人と人との距離感が近いのです。また、会社が不当なことをした時にストライキをすることへの抵抗感が少ないのです。日本の労働者は、資本主義を内面化してしまっている面があって、自分の人間としての怒りや喜びを抑え込み、すぐに「会社の都合」を考えてしまいます。人間として素朴で素直な面を持つフィリピン人に学ぶことが多いと感じました。

音楽活動を通じた反戦運動

私は、就職してある程度お金が貯まった時に、ギターを買いました。歌を作り、歌を歌うことで労働運動や市民運動を進めることができるのではないかと考えたからです。独学でしたので、なかなか上達しませんでしたが、下手なりに集会で歌ったりしました。

一九九〇年に湾岸戦争が始まった時、たいへん悔しい気持ちになりました。アメリカは正義の戦争だと言って、イラクにミサイルを撃ち込みました。犠牲になるのは罪も無い庶民です。しかし、何もすることができませんでした。私は、悔しい気持ちをそのままに歌を作りました。タイトルは「正義を口にするのなら」です。

正義を口にするのなら、なぜ民衆を殺すのか
正義を口にするのなら、なぜ真実を隠すのか
正義を口にするのなら、なぜ戦争を急ぐのか
兵士がこの目で見たものは、正義じゃなくて地獄だろう
毎日毎夜の空爆で家族をなくした子どもの顔
正義をいつわる者たちが、幸せつかめるはずがない
正義をいつわる者たちの、力が続くはずがない

正義をいつわる者たちに、僕らが負けるはずがない

曲は、たいへん暗いトーンになりました。怨みの歌になりました。この歌は、地域の市民の小さな反戦集会で披露することができました。

湾岸戦争に自衛隊が掃海艇を派遣したことをきっかけに、政府は何かと理由をつけて自衛隊を海外に派遣しようと画策するようになりました。その中で出てきたのがカンボジアの国連平和維持活動（ＰＫＯ）への自衛隊参加計画でした。紛争終結後の国連の平和維持活動になら自衛隊を派遣しても憲法上の問題は無いというのが、当時の政府の見解でした。ＰＫＯ協力法という法律を新しく制定することが問題になりました。

私は、憲法違反であるという問題は当然あるが、カンボジアへの自衛隊派遣は本当にカンボジアの人たちのためになるのだろうかと考えました。ＰＫＯというものの歴史を調べました。戦後、国連は様々な地域でＰＫＯを行ってきたのですが、紛争解決と平和維持に役立った場合もあれば、逆効果で紛争がこじれてしまったケースもあることがわかりました。問題は、ＰＫＯのために派遣される他国の軍隊が、経済的利害を持っているかどうかにありました。経済的に利害の無い中立的な国の部隊であるならば問題は起きないのですが、経済的利害のある国の部隊の場合は、中立を守ることができずにかえって紛争を招くことがあったのです。カンボジアの場合、日本はアジア各国に経済進出している国でしたので、ＰＫＯにはふさわしくないと考えました。やはり、カンボジアＰ

KOへの自衛隊派遣は平和を乱す海外派兵でしかないと考えました。
そこで、また新しく歌を作ろうと考えたのですが、以前の歌よりも明るい歌が良いなと思いました。集会やデモでみんなで歌える歌が作れないかと思いました。では、そのような歌は何を通じて実現するのでしょうか。先輩とも相談し考えた末、一九九二年一〇月に大阪で行われた自衛隊PKO派遣に反対するデモに参加し、そこで見た物、感じたことを歌にすることにしました。デモでの参加者の発言を聞いて、みんなと一緒に御堂筋をデモ行進して、歌詞はすぐに出来上がりました。タイトルは「明日をつくる行進」です。

子どものころに戦争の時代を生きた人が
もうだまされてはならぬと語り伝えて歩く
※ 誰もが歴史の流れ汗をかいて作ってる
　みんなの歌声の中たしかな明日が見える
　色とりどりの人々が一人一人声合わせ
　みんなで一つの世界を作る平和の行進
あたたかな願いを胸に若者たちが叫ぶ
弱いものから切り捨てる戦争の時代ゆるすな
※（繰り返し）

世界中に軍隊おくる山のような金があれば
どれだけたくさんの人の命を救えるだろう
※（繰り返し）
はるかな南の国から仲間の声が届く
海を越えひろがる力が戦争を押しとどめる
※（繰り返し）

明日をつくる行進

こども
のころにせんそうの じだい をいきたーひと が もうだ
まされてはならぬと かた りつたえてある く だ
れもがれきしの ながれ あせを か いてつくって る み
んなのうたごえ のなか たし かなあしたがみえ る いろと
りどりのひとびと が ひとり ひとりこえあわ せ みんな
でひと つのせかい を つく るへいわ の こうし
ん あたた こうし ん ー ー ー

曲調も明るい元気な感じのものがすぐに浮かびました。この歌は、反戦の集会やデモでよく歌われ、海勢頭豊コンサートでもステージで合唱されました。

労働者による職場の歌作り

また、労働現場のことをテーマにして歌を作ってみたいと思いました。手始めは、海勢頭豊コンサートの中で企画された労働者による手作りの歌の企画でした。

コンサートの実行委員会で歌作りをしてみたい人をつのり、論議をしました。その中で、ある金属加工工場の話が印象に残りました。ネジを作るきつい仕事の職場で、職場で倒れてそのまま亡くなった同僚がいたという話です。同僚が亡くなる前に職員旅行で語り明かしたことが忘れられないということでした。共同の歌作りの話を進める中で、私が制作の担当になり、歌詞をまとめ曲をつけました。タイトルは「忘れないあの日のことを」です。

忘れないあの日のことを、みんなで行った海外旅行
酒を飲んで夜通し語った、あん時のあんたの人生
俺はどうせどんくさい奴だなんて、ウイスキー一本空けたけど
家のことも仕事のことも、それだけたいへんな日々を生きてた

忘れられないあの日のことを、今は遠くへ行ってしまったけど
心のどこかで忘れていない、あの日のあんたのことを
ガラガラと鉄のネジぶつかりあう、高温の蒸気がたちこもる
しかも残業ことわれぬお人よし、これでは体もついていかない
忘れられないあの日のことを、毎日黙って働いてるけど
本当はみんな忘れていない、あの日のあんたのことを

この歌は、海勢頭豊コンサートの中で、この職場の当該の労働者自身が歌うことができました。しかし、この時、私は労働組合というのは企業内労働組合しか知りませんでした。労働組合は、その会社で働く人が集まって作るものなので、外部から口出しするものではないと思っていました。ですから、この歌には同僚の体と人生をいたわる気持ちが歌われ、労働環境の改善をめざしていくモーメントがあったわけですが、そこから先に進むことはできませんでした。

企業内労働組合を超える、地域労働組合（地域ユニオン）の存在を知ったのは、ずいぶんあとになってからでした。

この後も、私はたくさんの歌を作りました。二〇曲くらい作りました。月桃の花歌舞団の公演で歌われた歌、労働組合の職場集会で歌われた歌、仲間の結婚式で歌われた歌など、さまざまです。

職場の歌を労働者が集団で創るという作業は、一種のコンシャスネス・レイジングの意味を持ち

ます。コンシャスネス・レイジングとは、資本主義の心理的な抑圧の毎日の中で自己肯定感を弱くさせられた労働者が、対等平等な関係の仲間との集団討議の中で自分のことを話し表現することで、これまで気づいていなかった自分の正直な怒りや喜びに気づいたり（自己の発見）、会社や政府に対して要求したいことに気づく（意識の覚醒）したりすることです。労働組合を作る上で必要な過程です。

それはまた、上から官僚的に方針を決定することが多かったマルクス主義的な組織の中で、民主的な感性を再生させることで一人ひとりの内在的な葛藤や欲求をもとにして運動を再構築するという、組織内民主主義の再生をはかる活動でもありました。

職場パワハラと闘った地域ユニオンの活動

地域労働組合（地域ユニオン）というものがあちこちで結成されるようになったのは一九九〇年代後半でしょうか。しかし、私は企業内労働組合に加盟していたので、自分は関係ないと思っていました。

ところが、それを覆す事態が発生したのです。

私が働いている職場で、新入職員に対するパワハラが発生しました。新入職員に対して当然行うべき教育指導を怠り、仕事ができないと決めつけて「もう辞めたらどうか」と退職勧奨を行うという事態です。複数の管理職や先輩職員が関わっていたのですが、主な加害者が企業内労働組合の幹部的な位置の人だったのです。労働組合に責任ある人がパワハラをするというのは、とんでもない話です。そういうわけで、問題の解決をどうするか考えた時に、企業内労働組合に相談するわけにはいかなかったのです。

私は考えた末、大阪に拠点を置く地域労働組合である「なかまユニオン」に相談することにしました。なかまユニオンにアポを取り、当該労働者と一緒に相談に行きました。

そして、なかまユニオンから経営陣に団体交渉の申し入れをしました。団体交渉をしてみると、経営陣はすぐに退職勧奨を引っ込め、当該が希望する部署で働き続けることを認めるという形で、問題は解決したのです。

地域労働組合（地域ユニオン）の力を感じました。企業内労働組合では組合員個別の紛争まではなかなか取り組んでくれない実態がありましたが、なかまユニオンは個人の問題に迅速に対応することができました。企業内労働組合が、形式的には企業対組合という対抗関係ではあったとしても、上司対部下という枠組みの固定観念からなかなか外れることができず、組合側が遠慮がちになってしまうという問題もありました。

私は、この時の当該労働者といっしょになかまユニオンの職場分会を作ることにしました。

この後、私自身が業務上の過重な責任を負わされて体調を崩してしまった時に、業務量の軽減を求めて団体交渉を行い、改善を実現しました。無理な業務計画を実行すると、一部の労働者に負担がしわ寄せされてしまうのです。企業経営には労働者の健康を守る義務があるのだということを、団体交渉で強調しました。

また、あるユニオン組合員に対する、組合差別的な嫌がらせという性格を持つパワハラ事件も発生しました。この時は、パワハラ事件をあちこちで繰り返してきた人物が上司だったのです。仮にその人物をBとしておきます。Bは、その都度、誰かをパワハラのターゲットにしては、その人が辞めるまでいじめを繰り返すという人物でした。経営トップと人脈がつながっているため、何をしても許されるような雰囲気になっていたのです。

当該労働者がなかまユニオンの組合員であることが、Bの耳に入ったからか、いじめが始まりました。なんのミスもしていないのに「あんたミスをした。どうしてくれるんや」と威嚇的に叱責されました。毎日毎日、手を変え品を変え「ミス事件」のでっちあげが行われ、騒ぎ立てられ、執拗にいじめが繰り返されました。

なかまユニオンとしては、パワハラが発生したという証拠を残さなければいけませんでした。そのため、毎日短時間ながら分会のミーティングを行い、「今日あったBがちょっとでも関わるイヤな出来事」をすべて当該に話してもらって、その記録を議事録に残すということにしました。そして一か月間たまった議事録の分析を行い、「一回の事象だけでパワハラとなるもの」、「複数回繰り返すことでパワハラになるような事象が実際に複数回存在したもの」を抽出しました。そしてそれを報告書にして経営陣に改善を要求しました。

このケースの場合は、加害者Bがパワハラ常習犯であってこれまでも被害が頻発していたため、経営陣としても対処せざるを得なかったのだと思います。その後、パワハラは無くなっていきました。

この取り組みをするにあたって、パワハラ対策に詳しい大阪労働者弁護団の弁護士による勉強会も行いました。弁護士の「加害者が悔い改めてパワハラを止めることは無い。パワハラを続けたら自分もまずいことになるぞと加害者に思わせることでパワハラは止まるんだ」という言葉が、良い指針になりました。

この何年か後、同じ加害者Ｂによるパワハラが再燃したことがありました。なかまユニオンの分会活動が活性化したことが刺激になって、組合活動を妨害しないと自分の評価が下がると考えたようです。今回はＢは、はっきりとなかまユニオンに対する誹謗中傷の内容を含むような発言で攻撃をしてきました。私たちは、これを記録し、なかまユニオンとして謝罪を求める申し入れを経営陣に対して行いました。経営陣はＢによる誹謗中傷の存在を認め、謝罪しました。そして、パワハラは止まりました。そして、それからしばらくして加害者Ｂは他の部署に移っていきました。私たちにとっては良かったのですが、配転先でまた別の人にパワハラを繰り返したのです。パワハラの根絶はなかなか難しいものなのです。

労働委員会で組合掲示板を実現

また、組合差別的な嫌がらせに対しては、労働組合が存在感を拡大することによって封じ込めていくことが必要になります。なかまユニオンの職場分会は、職場の中に組合掲示板の設置を要求しました。

ところが、経営側が組合掲示板の設置を拒否してきました。職場内には企業内労働組合の掲示板がすでに設置されていました。その場合には地域労働組合の職場分会の掲示板の設置を正当な理由なく拒むことは、組合差別の不当労働行為になります。

私たちは、大阪府労働委員会に組合差別の解消を求めて申し立てをしました。経営側は「組合差別をしたつもりはない」などと申し開きましたが、労働組合法での不当労働行為の要件は「意図」が問題になるのではなく、「行為の実態」が問題になります。これでもかというくらいにたくさんの証拠を提出したので、すぐに労働委員会は経営側に掲示板設置を拒めないことをアドバイスしてくれたのだと思います。そして労働委員会は双方に和解を勧告しました。そして、労働委員会の命令を待たず、自主的な労使の和解交渉によって掲示板設置が合意になりました。

この時は、中立書を私が自分で書いたので、なかなか大変でした。労働組合法を勉強し、組合掲示板に関わる過去の判例を調べて、証拠となるような写真の撮影を職場のあちこちで行いました。しかし、そのようにして事件に関する事実を積み上げ、過去の闘いの成果をきちんと受け継ぐようにすれば、勝つことができるのだとわかりました。

困難を乗り越えた精神疾患の労災認定

私はなかまユニオンの自分の職場の分会活動だけではなく、地域の他の職場の問題にかかわることもありました。職場の精神的ストレスによる精神疾患の労災認定活動に取り組んだことは大きな経験でした。

私自身が、以前に職場の過重労働で精神的に参ってしまい体調を崩したという経験があります。その時はまだ「精神疾患の労災認定基準」が定められておらず、労災認定はたいへん困難でした。また、労災認定に必要な証拠も残していませんでした。ですから、労災申請はできませんでした。しかし、何か腑に落ちないし、いつか反撃したいという気分を持ち続けていたのです。

最近になって「精神疾患の労災認定基準」ができあがって、労災認定が認められるようになってきたのですが、この基準が解釈が難しく、なかなか認定されないという問題がありました。大阪府では、申請しても認定されるのは七人に一人という認定率の低さでした。

ある時、なかまユニオンに、職場の上司によるパワハラのせいで病気になり出勤できなくなってしまったという相談がありました。私も相談の場に行き、話を伺いました。そして、私の判断としてはこれは労災だと思ったのです。労災認定は難しいが、なんとか勝ち取りたいということになりました。

精神疾患の労災認定でいつも必ずネックになるのが、「発症日」をいつと判断するかなのです。精神疾患の発症日をまず決める、そしてその発症日からさかのぼって過去六か月間に職場で精神的ストレスになると認められる事象があれば、労災と認定されます。

パワハラなどでストレスがかかり始めると、まずは頭痛やめまいや下痢などの身体症状が出ます。これはストレスが始まった時期に一致して発生するのです。すると、「発症日はいつですか？」と聞かれると被害者は身体症状が発生した日を申告してしまうのです。ところが、労災認定基準ではこれは間違いなのです。本格的に精神症状が現れた日が認定基準での発症日なのです。これは、被害者が仕事に行けなくなった時期にほぼ一致します。

職場での精神的ストレスのほとんどは、身体症状が出始めてから仕事に行けなくなるまでの期間に発生します。ですから、身体症状を発生した日を発症日として申告してしまうと、発症日からさかのぼって過去六か月にはストレスになる出来事はそんなにたくさん無いということになってしまうのです。仕事にいけなくなるような精神症状が出た日を正しく発症日とすれば、過去六か月間にストレスになった出来事がたくさんあるので、労災認定が認められます。

被害者本人だけではなく、主治医すらが、こういう労災認定基準の解釈を正確に認識していないがために、労災認定がなかなか実現しなかったのです。そして、労働基準監督署とそれを管轄する労働局が、このような認定基準の勘違いを是正するどころか、誤った申請をそのまま盾にとって不認定をしてきたのです。

そこで私は、被害者本人と主治医に労災認定基準がどうなっているのかを説明するところから始めました。丁寧に説明すると、主治医もよく理解してくれて、正確な意見書を書いてくれました。

また、複数の職場の同僚がパワハラがあったことを証言する文書を提出してくれました。

ところが、労働基準監督署と大阪府労働局は、主治医が正確に書いているにもかかわらず、発症日を身体症状の発生した日だと勝手に変更し、不認定の判定をしてきたのです。

第二審で大阪府労働局に上申したときも、はなから馬鹿にしたような態度で対応され、不認定となったのです。あの時の大阪府労働局の官僚の強圧的な態度は、いま思い出しても腹がたって仕方がありません。

第三審は厚生労働省です。そして、ここで逆転勝利の労災認定が実現しました。厚生労働省の委員である精神疾患の労災認定に関わっている専門医が、労災認定するという意見書を書いてくれたのです。専門医がわざわざこの事件をよく検討してくれたのは、職場の複数の同僚から証言が出ていたからかもしれません。また、労災認定基準から考えて大阪府労働局の判定の解釈は間違っているという論文を弁護士から出してもらったことが良かったのかもしれません。とにかく、「大阪府労働局の不認定の決定は認定基準をわざとゆがめて解釈した詭弁である」と断罪して労災認定を認めてくれたのです。

労災認定が認められたことで、被害者本人の医療費負担も軽減しました。また、病気を理由とする解雇も撤回されました。大阪労働局の誤った労災不支給路線を糺すことができたことも、たいへん前進でした。しかし、いったん発病してしまった精神疾患はすぐには完治するものではなく、被害者本人にとっては苦しい日々が続きました。

一人の市民として政治に参加すること

二〇一一年三月一一日、東日本大震災が発生しました。続いて、福島第一原発が爆発事故を起こしました。たいへんな事態になっているのは誰にもわかるのに、テレビを見れば「原発は安全なんですよ」とあまりにも不自然なニコニコ顔で学者と称する人たちが笑っていました。これはおかしい、何かが隠されていると、みんなが不安を募らせました。

私の友人にも親族が福島にいるという人がいて、パニック状態になっていました。また、「何が起きているんだ？　核爆発が起きたんじゃないのか？」という問い合わせも入りました。私は、何よりも正確な情報をつかむことが大切だと考えました。そこで、原子炉の構造や原発事故で放散しうる放射性物質の化学的特性などを調べました。その結果、発生した爆発は核爆発ではなく水素爆発であること、放出された放射性物質には様々あり軽いものほど遠くに拡散する可能性があり、西日本にも到達する可能性があることなどがわかりました。そして、わかった情報をできるだけ正確に伝達するように努めました。科学的に正確な情報を集めること、必要な場合には自然科学に立ち返って判断すること、その大切さを学びました。

そして、稼働中の原発の停止を求める声が一挙に全国に拡がりました。脱原発の集会やデモが何回も行われました。二〇一一年六月一一日には大阪で「原発いらん関西行動」が開催され、五〇〇〇人がデモ行進をしました。私は、これらの行動にできるだけ参加するようにしました。

二〇一二年七月一六日には東京で「さよなら原発一〇万人集会」が開催され、一七万人が集まりました。この行動にも参加しました。良く晴れた暑い日で、公園のど真ん中で集会に参加した私は日焼けで真っ赤になってしまいました。

私は、これらの行動に一人の市民として参加しました。ですから、手書きのメッセージボードを持って毎回参加するようにしました。厚紙や発泡スチロールの色とりどりのボードが画材屋で売っています。それに自分が一番言いたいことをマジックで書いて持っていくのです。短い文章のスローガンを考え出すことは、俳句を詠むことにも似ています。印象的で端的な表現が問われるからです。雨の日にはビニール傘にスローガンを書いて持っていきました。それが、市民が主権者となる民主主義だと思ったからです。

また、交通費などはすべて自腹でした。どこかの組織の指示で行くわけではなく自分の意志なので、どこからも金を出してもらう必要はありませんでした。交通費を使い、時間を費やして、何が見返りになるのかと問いかける人もいます。しかし、デモをして何が変わるかと言えば「デモができる社会になる」ということです。デモは直接民主主義の基本的な行為ですから、デモができる社会になるということは人々が生きやすい社会になるということです。見返りは何か、あえて言うなら民主主義でした。それで満足だと思ったのです。

脱原発の課題以外にも、私はその時々で必要だと思えばデモに行きました。せいぜい一週間に一回しか発行されない政治団体の機関紙（日本共産党の日刊紙「赤旗」は例外として）では、最新の情報は手に入りません。インターネットやツイッターで行動情報を集めました。

最近では、二〇一五年の安保法反対運動、沖縄辺野古基地建設反対運動、二〇一七年の共謀罪反対運動、二〇一七年~二〇一九年の安倍政権の退陣を求める運動、二〇一八年の高度プロフェッショナル雇用契約制度反対運動、二〇一九年の性暴力に反対するフラワーデモ、二〇二〇年の検察庁法改悪反対運動などに参加しました。検察庁法改悪は阻止することができました。二〇二一年の入管法改悪反対運動も、改悪を阻止することができました。

また、二〇二〇年一一月一日に行われた大阪市廃止の可否を決める住民投票にあたっては、大阪市廃止反対のビラ配布の宣伝活動に何回も取り組みました。根拠薄弱な維新の会の「都構想」に対して、大阪市が本当に無くなっていいのかと訴えていくと、都構想反対の声が日ごとに強くなっていく手ごたえがあり、住民投票では大阪市廃止は否決されました。

維新の会にしても、自民党・公明党にしても、莫大な金と権力を持つ与党勢力に抵抗することは簡単ではありません。反対してもうまくいかないこともあります。向こうの方が権力を持っているのですから、一回一回を見れば負けて当たり前とも言えます。しかし、デモを繰り返す中でじわじわと安倍政権、そして菅政権を追い詰めてきたのは間違いないことです。勝率は少しずつ上がっているのではないかと思います。しかし、まだまだです。あきらめずに取り組んでいくことが大切なのだと思います。

第3章　森信成批判――人類の一般意志を組織が体現することは可能か

森信成の思想的な立ち位置

民主主義学生同盟は一九六三年に大阪の学生活動家が中心になって結成した学生党派で、その中心は大阪市立大学でした。思想的なバックボーンになったのは、当時、大阪市立大学で哲学の先生をしていた森信成（もり・のぶしげ）でした。森信成は、戦前に京大の学生だった時に人民戦線の活動を始めた方です。戦後は哲学者として、大阪唯物論研究会や日本唯物論研究会の結成と運営に尽力されました。

戦後の日本共産党の非現実的な武装蜂起路線に続き、一九五〇年のコミンフォルムによる日本共産党批判とそれによる共産党の分裂がありました。一九五五年の共産党六全協以降も続いた混乱により、大阪では多くの共産党員が有無を言わさず除名されていきました。当時、日本共産党の中央を牛耳ったいわゆる「代々木派」が大阪ではたいへん強かったため、党中央と異なる意見を持つ活動家が次々に排除されたのだと聞きます。そのような活動家が集まって民主主義学生同盟を結成したのだそうです。

森信成は、民主主義学生同盟と、そのベースとなった学生唯物論研究会の思想的な指導をされていました。その考え方は、フランス革命を実現した西ヨーロッパの啓蒙思想を正当に引き継ぐ、啓蒙思想的民主主義と言えるものでした。「科学と民主主義の立場こそ人類発展の立場であって、広範な人民による反独占資本の統一戦線の形成による社会主義への構造改革こそが問われているのであり、共産党中央のセクト的な引き回しは誤りである」というものでした。

戦後の日本のマルクス主義陣営、特に日本共産党の中では、唯物論の基本概念の理解が弱かったのです。なぜなら、戦前にはマルクス主義に関する文献はスターリンが主導するソ連共産党から入ってくる文書だけだったからです。

マルクスの文献に出てくる概念の中にはそれ以前のフランス啓蒙思想やドイツ哲学で論証されている概念が多かったのです。マルクスの思想系譜をたどると、ヘーゲルの観念論を批判したフォイエルバッハの唯物論を学び、そのフォイエルバッハを批判するという経過をたどりました。「哲学者たちはこれまでは世界を解釈してきただけであるが、肝心なのは変革することだ」というのがマルクスの「フォイエルバッハに関するテーゼ」の第一一です。マルクスはフォイエルバッハを土台にし、フォイエルバッハの不十分点を克服する形でマルクス思想の確立へと至りました。

フォイエルバッハは日本語訳が戦前は手に入らなかったことから、唯物論の基本概念の理解が日本では弱かったのです。一九五〇年代になってようやく手に入るようになりました。森信成は日本語訳されだしたばかりのフォイエルバッハを猛烈に研究し、日本のマルクス主義哲学の弱点を指摘しました。弱点とは、唯物論の基本概念があいまいであるせいで、さまざまな観念論がマルクス主義に混合され、混乱が発生していたのです。森信成は観念論批判に明け暮れました。

唯物論か観念論かという論点

森信成は、主要な著作は『唯物論哲学入門』（新泉社、一九七二年）と『マルクス主義と自由』（合同出版、一九六八年）です。

『唯物論哲学入門』は、一九七一年に亡くなった森信成が、亡くなる直前に行っていた大阪労働講座での哲学講義を文章化したもので、話し言葉で書かれているため、初心者にもわかりやすく唯物論哲学を解説する内容になっています。一九七二年に出版されましたが、二〇〇四年に改訂新版が出ています。改訂新版では、もともとあった講義録の中の差別的な表現を削除すると同時に、山本晴義による解説文が新しく書き換えられています。山本晴義は元の版では森信成の良い点のみを書いていましたが、改訂新版では時代の移り変わりを反映して「ソビエトマルクス主義の負の影響により教条主義的な傾斜がある」と批判すべき点もあげています。なお、『唯物論哲学入門』は現在は二〇一九年発行の改訂新装版となり、漫画家の青木雄二の推薦文も掲載して発行され続けています。大きな書店に行くと、マルクス主義の棚ではなく「日本のその他の哲学者」の棚にならんでいます。

『マルクス主義と自由』は哲学者どうしの論争の難解な批判論文集です。一九五〇年代、一九六〇年にかけて、日本共産党の分裂を巡って、日本共産党に関連する民主主義運動の中で現れたセクト主義や官僚主義やサークル主義（解党主義）を批判する論文を掲載しています。セクト主義と官僚主義の代表としては蔵原惟人が、サークル主義の代表としては春日庄次郎が批判の対象となりました。また、フォイエルバッハ批判のテーゼを巡る無理解から現れる観念論と唯物論とのおかしな接ぎ木があるとして加藤正を思想的に批判しました。

「科学と民主主義」という場合に、「合理主義の唯物論か、非合理主義の観念論かは、絶対的に対立するものであって、思想上の平和共存（唯物論と観念論との平和共存）はできない」ということを強固に主張されていました。観念論は打倒すべき敵だと言うのです。ほんの少しでも観念論的なものを取り入れることは、絶対に許してはならないことだと主張しました。

宗教については、人類への愛という唯物論的なものと、神への愛という観念論的なものと、相反するものが融合したものが宗教であるという考え方でした。そのため、社会主義へと進んで行く上では唯物論こそを徹底的に広げるべきであって、宗教は必要ないという考え方でした。

唯物論か観念論かという論点は、西ヨーロッパの啓蒙思想の中で大きな議論になってきた歴史があります。それは重要です。しかし、森信成は、唯物論か観念論かという教条ばかりに強迫的にとらわれ、逆に観念論に迷い込んでしまった傾向があると思います。

森信成は戦後の観念論の流行であった実存主義と実証主義（プラグマティズム）を否定することにこだわりました。そのあまりに、資本主義社会で実存主義思想と実証主義思想とが絶え間なく現れてくる物質的な根拠の解明＝資本主義批判に矛先がいかなかったのが弱点だったと考えます。観念論批判が最も大切なのではなく、資本主義批判が最も大切であったはずです。また、日本の具体的な歴史の流れを踏まえての日本共産党の偏向を批判することが、大切であったはずです。それが唯物論的な態度であったはずです。

意志決定論を科学論から検討する

森信成は、「意志決定論」こそが唯物論的な考え方だとしていました。人類の意志、個人の意志は、科学的に解明できる社会の発展法則によって「決定」されているのだという考え方です。「人間の意志がどう定まるかはわからないのであって、それが自由意志というものだ」という実存主義的な考え方は不可知論に基づく非合理的な観念論だと論じていました。

ここで疑問です。本当に、人間の意志は社会の発展法則によって決定されるものなのでしょうか。また、意志決定が「科学的に」解明できるというのは本当なのでしょうか。

当時の哲学界の歴史的な限界性だと思うのですが、自然科学についての知識不足から、科学的論証の方法論について森信成は誤解をしていたと思います。

数学の話になりますが、連立微分方程式には厳密解が無いことが多いのです。厳密解が無いとは、方程式の答えがぴったりとは決まらないということです。また別の問題ですが、数学にはゲーデルの不完全性定理というものがあり、ある命題（テーゼ）を正しいとも正しくないとも証明できない時があるということが、証明されています。これらから、数学的に論証できないテーゼが必ず存在することが今では分かっています。

例えば、天文学の話で「三体問題」というものがあります。しばらく前に『三体』というSF小説がベストセラーになったので有名になりました。太陽も含めて三つ以上の天体が回っている時に、その未来の軌道を正確に計算できるのかという問題です。一般には、天文学で物理法則を使ってコンピューターで計算すれば正確に計算できると考えられています。確かに、一〇〇年後くらいまではなんとか計算できるのです。ところが、さらに遠い未来まで考えると、計算とは全く違う軌道で惑星が動くことがありうる、それを予測できない。それが「三体問題」なのです。数学上、連立微分方程式が厳密解を持つとは限らないということが原因です。どうがんばっても予測できないということが数学的に証明されているのです。

少し別の話で科学論の話ですが、物質（分子）の化学的性質は、物質を構成する素粒子（電子）の性質によって決まります。しかし、素粒子論のシュレディンガー方程式から計算して化学現象を演繹することはできません。素粒子が複雑に組み合わさって出来上がる分子の性質は、素粒子の法則から導き出すことができないのです。実験してみないとわからないのです。

数学や物理法則の問題でも計算できないことが存在する。科学には「どう頑張っても理論的にはわからないことがある」のです。

同様に、経済の分析から人間の意識を演繹することはできません。実証（実験）によってのみ立証することができるのですが、技術的に実験方法が確立していない場合は、「わからない」とするのが科学的な態度なのです。

私はもともと自然科学の勉強をしていました。ですから、「科学的とはどういうことか」、「合理的とはどういうことか」ということもずっと考えてきました。森信成は、哲学的には意志決定論の立場に立ち、科学的に合理的に考えれば「個人が何を望むのか」というような意識も正確に分析できるのだと言っていました。しかし、実際はうまくはいきません。

森信成は「わからないことがあると言うのは不可知論であって、それは非合理的な観念論だ」と言います。しかし、わからないものはわからない。わからないとすることこそが科学的・合理的な態度なのです。

意志決定論は大雑把な一般論としては成り立つこともあります。しかし、精密にはその決定を把握することはできないのです。個人の意志決定は大脳で行われますが、大脳の中は、いくつもの部分に分かれて任務分担をしており、それらの調整の中から、その時々の肉体の状況や社会状況によって意志が決まっていくのです。調整は複雑であるため、厳密な法則は存在しません。だから個人は「悩む」「揺れ動く」存在なのです。精神が健康な状況においては理性をつかさどる部分が脳全体を統制しているのは事実です。しかし、絶えず揺れ動くのです。

個人の意志ですらあいまいさを排除できないのに、集団になればなおさらです。「集団の一般意志」は、どんな集団においても大雑把にしか把握することができません。集団が大きくなればなるほど不確実性は高まるので、「全人類の一般意志」は「人類の滅亡を免れる」こと以外には推定しようがありません。

唯物史観は下部構造が上部構造を規定する、つまり生産力の発展による生産関係の転換が政治・文化構造の変化をもたらすとしました。これは一面的な把握であり、妥当する場合は多いかもしれませんが完全ではありません。唯物史観に基づいて人類の一般意志を把握できると考えるのは誤りです。

意志決定論からソ連派へ

森信成は、啓蒙主義的民主主義ですから、ルソーの「一般意志」の考え方を強調していました。「民主主義は多数決ではない」という考え方です。多数決ではなく「科学と民主主義」の立場で人類の発展法則を考えることで一般意志に到達できる。そして、啓蒙主義的民主主義をレーニン的に発展させた考え方として、その一般意志に到達できるのはレーニン的な「前衛党」という組織形態、つまりマルクスレーニン主義に導かれた民主集中制の組織だけだと考えていました。

しかし、当時の日本の前衛党であった日本共産党は民主主義的な運営がされていませんでした。前衛党の認識は特殊意志（一部の集団の偏った意志）でしかなかったのです。「日本共産党の中でたまたま多数派をにぎった代々木派が好き勝手に運営するのは数の暴力であって、本当に何が正しいかという意志決定は全人類の立場で考えて決めるべきなのだ」と、森信成さんは考えました。

では、何をもって全人類の一般意志を決定することができるのか。これは難問です。難しいですが便宜的にでも決定するとしたら、「社会主義世界体制の意志」が一番それに近いと考えるしかありませんでした。社会主義世界体制の意志は、例えば一九六〇年に出された「八一か国共産党労働者党代表者会議の声明と世界各国人民へのよびかけ」（八一声明）に定式化して表現されています。社会主義世界体制を率いていたのはソ連共産党でした。ソ連共産党の意見から外れたことを言うようになった中国共産党や日本共産党は社会主義世界体制の中では少数派であり、全人類の一般意志から外れているのだということになります。

考えてみれば、クレムリンにいるソ連共産党の指導部が世界の隅々まで把握できるはずがありません。ソ連共産党の判断と、日本社会の現場で生活する人々の現状が、たやすくは一致するはずがありません。しかし、少なくとも国際情勢を考える上ではソ連共産党の考え方が最も全人類の一般意志に近いと考えたのです。そして、「資本主義の全般的危機の第三段階」という国際情勢の特徴が、日本国内の社会状況を大きく規定しているのだと考えたのです。だから、ソ連共産党の意志が全人類の一般意志に一番近いと考えざるを得なかったのです。

これが、民主主義の基準は人類の一般意志にあると考えた啓蒙思想的民主主義派が、ソ連派になってしまった事情です。

「フォイエルバッハに関するテーゼ」の誤った理解

森信成はフォイエルバッハについての研究から、当時のマルクス主義陣営の中での思想的な誤りを糺そうと奮闘していました。しかし、どうも森信成自身のフォイエルバッハについての理解が不十分な点があり、そのために批判が批判とならず、かえって混乱に陥った面があると思うのです。

議論の前提として、マルクスが書いた「フォイエルバッハに関するテーゼ」について紹介しておかねばなりません。「フォイエルバッハに関するテーゼ」は、マルクスがフォイエルバッハの唯物論を批判するにあたってその基本的な観点を一一のテーゼとしてまとめた一八四五年のメモ書きで、マルクス自身はこれを発表しなかったのですが、のちにエンゲルスの「フォイエルバッハ論」といっしょに紹介されたものです。

森信成が論争の中で取り上げたのは、このテーゼの中の「感性」に関する部分です。フォイエルバッハに関するテーゼの第一テーゼには、こう書いてあります。「これまでのあらゆる唯物論（フォイエルバッハの唯物論を含めて）の主要な欠陥は、対象、現実性、感性が、客体あるいは直観の形式の下にだけとらえられ、感性的人間的な活動、実践として、主体的に、とらえられていない、ということである」。

それに関連して第九テーゼには、こう書いてあります。「直観的唯物論が、すなわち感性を実践的な活動として把握することのない唯物論が、至りつくのはせいぜいのところ、個別的な各個人と市民社会の直観である」。

テーゼでは、「感性が実践的な活動である」と書かれています。これはどういうことでしょうか。「感性」というものの意味ですが、辞書にはこう書いてあります。

①物事を心に深く感じ取る働き。感受性。「感性が鋭い」「豊かな感性」

②外界からの刺激を受け止める感覚的能力。カント哲学では、理性・悟性から区別され、外界から触発されるものを受け止めて悟性に認識の材料を与える能力。（goo 辞書より）

つまり、「感性」とは物事を感じる感覚的能力のことです。通常は受動的なものと考えられる概念です。フォイエルバッハもそのようにとらえていました。しかし、マルクスはよく考えてみれば「感性」は「実践的な活動」ではないかと言うのです。

これは、よく考えるとわかります。例を挙げて考えればわかりやすいと思います。

ある会社の職場に、Aさん、Bさん、Cさんの三人がいっしょに働いていたとしましょう。Aさんは平均的な労働者に比べて仕事が若干遅いのです。日常の仕事の中で、BさんもCさんもそのように感じていました。この感覚はBさんもCさんも共通していました。

ところが、この感覚がどんな感情を抱かせたかは違っていました。

Bさんは、「むかつく」と不快に感じていました。なぜBさんはむかついたのか。Bさんは職場のQCサークルの担当者であり、少しでも早く仕事が進むように頭をしぼって提案するという仕事をしていたのです。

他方でCさんは、「尊敬できるな」と快く感じていました。なぜならCさんは労働組合の会合でAさんと話をしたことがあり、Aさんがどんな仕事をするときも「なぜこういうふうにするのだろう」、「お客さんは何を求めているんだろう」と疑問を持ちながらよく考えながら仕事をしているという話を聞いていたからです。

「遅いな」と感じるのは感覚です。そして、「むかつく」「不快だ」という感情とか、「尊敬できる」「快い」という感情を引き出すのは感性です。つまり、同じ感覚が異なる感情を引き出すわけで、感性には人によって違いがあるのです。この違いがなぜ発生するのかといえば、それはBさんとCさんとが日ごろからどんな実践をしているかの違いなのです。

生活、労働、社会活動などで対象に対して働きかける実践が、感性を形作っているのです。

このように考えればマルクスのテーゼは理解できます。「感性」は「実践的な活動」なのです。

ところが、森信成はこのように具体性をもって理解していないのです。たいへん不可解な理解の仕方をしています。森信成は、『マルクス主義と自由』の第二章第二節の二「フォイエルバッハの感性概念」の中で、加藤正という哲学者を批判して、次のように書いています。「問題は次の点にある。すなわち、フォイエルバッハ、マルクスにおいて物質的存在を意味した感性概念を加藤が感覚として把握したところにある」。たいへん抽象的です。そして、これ以上に具体的な説明はどこにもありません。

「感性」とは「物質」と同じ意味だというのです。それでは、わざわざ「感性」という言葉を使う意味がありません。

このようなことを森信成が書いたことによって、民主主義学生同盟の中では、「感性」という言葉は使ってはならない言葉だとされるようになりました。

「感性は感受性のことではない。その解釈はブルジョア的である」、「感性とは物質的な対象に働きかける労働によって人間が自己を対象化することを意味している」というふうに、民主主義学生同盟の中では説明されていました。すると、「感性」という言葉は難解な哲学用語であって、それを使う場面がなくなってしまいます。

すると何が起きたでしょうか。民主主義運動を行う上で「感性」という言葉が出てくるのは「民主的感性」という場面です。民主主義学生同盟の中では、「民主的感性」という言葉はブルジョア的な表現だとして使ってはいけないことになってしまったのです。

自由を愛し、平等を重んじ、友愛を大切にするという民主的感性。自由を奪うものや不平等を押し付けるものや友愛を損ねるものに対して怒りを感じる民主的感性。差別や抑圧をしてはいけないことだと日常生活の中でも感じる民主的感性。これらはすべてブルジョア的なまやかしだというのです。

もちろん、民主主義学生同盟の中で、すべての人がこのようなことを主張していたのではありません。ごく一部の官僚主義的な幹部がこのことを強調していたのです。そのような官僚主義的な幹部は、日常から「民主的感性」を持ち合わせない言動を実際にしていたのです。それが良いことであるかのような自己正当化をしていたのです。ビラにウソを書いたり、同志との約束を破ったり、下部組織に無理難題を押し付けたり、差別的な言葉を吐いたりすることが正当化されてしまったのです。そして、民主的感性を持つ活動家は組織の中で物が言えない雰囲気が作られてしまったのです。

自然科学についての見識が拡がっていないという時代的な制約がある中で、また日本共産党の内部での思想的混乱が大きかった中にあっても、森信成さんはよく頑張って正しい民主主義を論じようとしていました。しかし、やはり制約の中で誤りを含んでいたのです。それが、のちに民主主義学生同盟の中で思想的な問題を引き起こすことにつながったのです。

森信成は民主集中制をはじめとする前衛党の在り方についても多くを論じていましたが、それについては次に書きたいと思います。

第4章　前衛党について――民主集中制には無理がある

「民主集中制」とは何か

先にも書きましたが、民主主義学生同盟は「民主集中制」の組織でした。「民主集中制」は正式には「民主主義的中央集権制」と言います。これは、前衛党の組織原則として、世界中の多くのマルクス・レーニン主義的な政治団体で採用されてきた組織形態です。

まず、前衛党とは何でしょうか。前衛党は、マルクス・レーニン主義、特にレーニンの規定に基づいて、資本主義の枠組みを超えて社会を根本的に変革しようと目指す政党のことです。資本主義の枠組みを超えるわけですから、目指すものは社会主義、あるいは共産主義とされることが多いのです。党名は「共産党」とか「労働党」と名乗ることが多いのです。

マルクス・レーニン主義に基づいて資本主義の枠組みを超えるという性格上、社会の全面的な改革が必要になるので、多方面にわたる社会政策を持つことになります。一つの政治課題だけを要求するシングル・イシューの運動体ではないわけです。また、あるていど長期間にわたって運動が続くことが想定されていて、様ざまな政治局面に総合的に対処できなければなりません。ですから、いきあたりばったりではなく、体系化された理論に基づいて整合性のある政策を打ち出すことが期待されています。議会での活動だけではなく、労働運動や市民運動など多面的な社会活動が必要になります。議会で当面の重点政策だけで勝負する「れいわ新選組」のような党は前衛党とは言わないわけです。

これまで、レーニン的な前衛党には以下のような規則が決められていました。

①一つの国には一つの前衛党しか存在してはなりません。違う考え方の二つの前衛党があってはならないので、もし二つ以上ある場合には、どちらが正当な前衛党なのか、どちらかが倒れるまで党派闘争をしなければなりませんでした。

②前衛党には分派が存在してはなりません。つまり、前衛党の内部で、党中央と異なる考え方のグループを作ることは禁止されていました。党員どうしが横に連絡を取り合うことが禁止される場合もありました。

③前衛党の組織原則は「民主集中制」です。「民主集中制」では、党の指導部は党内の選挙で選出し、運動方針は多数決で議決することが必要です。いったん指導部により定められた人事や方針は絶対であり、個人は組織に従い、少数は多数に従い、下部組織は上部組織に従うことが必要です。

①〜③は、全部ひっくるめて、前衛党は一枚岩になって軍隊のように一糸乱れず動くということを意味していました。前衛党の指導部がいったん決定したことに対して党員は異論は絶対に言う事ができず、従うしかないということなのです。

前衛党がこのようなまるで全体主義のような組織原則を採用していたのは、現実問題としてロシア革命のころのロシアの情勢は内戦状態であり、前衛党を軍隊のようにしなければ運営できない非常事態だったというういきさつがあります。

また、それだけではなくマルクス主義の思想的には、科学的社会主義の理論に基づいて歴史の発展法則を正しく把握すれば、社会を変革する運動方針は一つに定まらないはずがないという、「歴史の必然性」の発想があったからです。森信成は「科学と民主主義」の立場から唯物論的に考えれば、すべてを把握することができると言います。すぐには把握できなくても、「民主集中制」にのっとって運動をしていけば、必ず個人の意見は組織の意見にピッタリと一致していくという、予定調和が一〇〇％成り立つのだという考え方をしていたわけです。

「歴史の必然性」という呪文

実際のところはどうだったでしょうか。私の経験した活動の中で、情勢分析に迷う時や方針立案に悩む時、また流動局面の政治判断に悩む時がたくさんありました。しかし、いくら「科学と民主主義の立場」から考えても、分からないものは分からなかったのです。しかし、それでも「歴史の必然性」という言葉が呪文のようによく使われていました。

「社会主義になるのは必然性がある。だから組織上層部の提案する方針を実行するのが唯一の正しい生き方である」とよく言われましたが、今になって考えれば、そんな風に官僚主義的に言われるときはたいていその方針の具体的な根拠が薄弱である場合が多かったのです。そんな言い方は物質的根拠に根付いた唯物論ではなくて、イデオロギーを呪文のように唱える観念論だったのではないかと思います。そして、そんな言い方の時には、あとになってみると失敗であったことが多いのです。

「生産力の発展が社会の形を規定する」という唯物史観は大きな目で見れば当たっていることも多いのでしょうが、おおまかな蓋然性であって、一人ひとりの個人の意志決定まで必然的に決まってくるものではありません。ましてや、未来の社会変革の設計図を正確に描くことができるはずはないのです。いくらマルクス・レーニン主義を勉強した政党指導部の偉い学者さんが考えても、その頭から出てくる個々のスローガンや運動方針が唯一的に正しいとは限らないのです。

資本主義社会の問題点は多岐にわたっており、資本主義批判の視点もたくさんあります。当然、資本主義を脱却していく運動も、どの課題を重点に置くか、どういう解決を指向するかで、様々な意見分岐が発生するものなのです。

マルクス・レーニン主義の党の内部で社会の把握や社会変革の方針について議論したら複数の見解が発生し、どちらが正解かは決着がつかないことがあります。分派が発生するのが当然なのです。にもかかわらず、無理に分派を禁止して一つの方針で運動を統一しようとしたから、逆に前衛党は分裂状態に陥いったわけです。感情的もつれから殺人にもいたる「内ゲバ」までが発生しました。

運営不可能な民主集中制というシステム

組織の中に重大な意見の対立が発生していない局面では、そもそも「民主集中制」の必要性がありません。個人は組織に従い、少数は多数に従い、下部機関は上部機関に従うという「民主集中制」が必要になるのは、方針をめぐって重大な意見の違いが発生している時に、それでも方針を一つに統一しなければならない時です。

では、組織の中に重大な意見の違いが発生して、「民主集中制」に基づいて党指導部の方針に統一して組織全体がそれを実行したとして、その結果、その方針は間違っていたということはありえないのでしょうか。当然ありえます。

そう考えると、「民主集中制」がもし機能すると仮定したなら、組織の決定に誤りや失敗があった時に、それが明るみに出た時に、指導部がきちんと責任を取れることが必要条件になります。しかし、理想的な指導部集団があったとしても、有限な能力しか持たない個人の集団である以上は、責任を取りきれないのです。

「フォイエルバッハに関するテーゼ」のところでも出てきた「感性は物質的能動的存在、実践である」という点を考えると、さらに民主集中制がうまくいかないことがわかります。

前衛党の中で方針についての意見がまとまらず、民主集中制によって、少数派の人が自らの意見を曲げて不本意に多数派に従わねばならなかったとしましょう。そして運動を実践してみた結果、うまくいかなかった、少数派の人の方が正しかった場合に、その時にどうするのかということです。

多数派の方針を少数派の人も含めて全員が実践して、結果として全員が間違っていたという時に、内心はこの方針は間違いだと思っていたはずの少数派の人は「それ見たことか。やっぱり私たち少数派の意見の方が正しかったのだ」と今さら声に出して言うでしょうか。

人間の感性はその人のこれまでやってきた労働や実践によって作られるわけですから、意見の違いを押し殺して多数派意見で体を動かした活動家は、感性が変質してしまいます。多数派の方針の方が正しいという感性にとらわれてしまいます。意見の違いについて事後に批判をできる感性を奪われてしまうのです。行動の一致によって生まれる連帯感が、誤った方向に作用するわけです。感性が変わってしまえば理性による判断もそれに従って変わっていきます。ですから、少数派が事後の批判をすることはまずありえないのです。そうなると組織は誤った方向性を軌道修正できません。

異なる意見を認め、分派を容認して少数派が多数派に従わなかった場合には、多数派の実践後に誤りが発覚した場合には総括過程で軌道修正の論議ができます。

「民主集中制」の組織で実際に活動してきてわかったことですが、組織の方針に間違いがあったことが後になってはっきりしても、指導部はそのことを明確には認めようとはしません。こっそりと軌道修正することはあっても、過去についてはうやむやにしてごまかしてしまいます。そして、指導部の誤りを根掘り葉掘り追及する人は、なかなか現れないのです。

また、おそろしく指導能力に欠けた人物が指導部に就任することが現実に発生していました。組織を食い物にするような人物さえ、指導部に就いたりします。そして、人を傷つけるようなとり返しのつかない誤りが発生しているのです。

方針を決定する段階のことを考えても、民主集中制のもとでは、組織の構成員が思考を節約してしまい自分の頭で考えなくなることがよくあります。方針をめぐる討議の時に、どうせ指導部が提案したとおりに決まるのだから従っておけば間違いないだろうと、よく考えずに賛成するという無責任な態度です。民主集中制のもとでは、指導部に対して忖度する人がどんどん増えていくのです。

このように考えれば、現実には「民主集中制」は運営不可能なシステムなのです。

資本主義の抱える問題は多面的です。また、資本主義の発達以前より人類が抱えている問題も多面的です。資本主義からの脱却を目指す社会運動の中で、意見の対立や利害の対立は必ず現れてきます。単一の指導部によって指導される前衛党によって完璧に導かれる運動にすることはできません。唯物論で社会現象を科学的に考えることは必要ですが、それでもわからない部分は様ざまな人の経験則を活用しながら試行錯誤で埋めていくしかありません。

森信成は『マルクス主義と自由』の中の「マルクス主義人間観の前提」の結語の部分で、「科学と民主主義のために没我的に献身した人々のうち一人としてそのために個性を傷つけられたものはない。かれらはそのことによってより偉大な個性となっただけである」と書きました。これは、「自由とは必然性の洞察である」という考え方を説明したものです。歴史の必然性がどうなっているか唯物論的に洞察すれば、歴史の必然性を体現する前衛党の意志と自分個人の意志とが完全に一致し、前衛党の方針通りに活動することに個人の自由を感じるようになるのだという考え方です。

しかし、必然性の洞察をするためには、前提として自分の心が自由になっていないといけないのではないでしょうか。誰かへの「忖度」に取りつかれた状況では必然性の洞察などできるはずがありません。資本への忖度、権力への忖度だけではなく、前衛党指導部への忖度に取りつかれていては、自由になれるはずがないのです。

日本共産党の官僚主義的、セクト主義的な誤りを批判して民主主義の徹底した実践を説いた森信成でした。しかし、存在もしない「理想の民主集中制を実践できる前衛党」を仮定して「前衛党のために献身的に活動する事こそが自由だ」と「自由と必然との統一」を説いたことによって、現実には官僚主義を補強する役割を果たしてしまった側面があったと思います。

官僚主義を克服しきれなかった民学同

現実に、日本共産党の官僚主義・セクト主義を強く批判する立場をとっていた民主主義学生同盟も、自らの組織の中で官僚主義・セクト主義を克服することができず、組織分裂を繰り返す事態になりました。一九七〇年代には民主主義学生同盟は「民主主義の旗」「新時代」「デモクラート」の三派に分裂していました。そして互いの間で攻撃しあう党派闘争を行っていました。

私は民主主義の旗派のことしかわかりませんが、その中では「学大問題」（がくだいもんだい）などの組織問題が絶えませんでした。「学大問題」は、学大（学芸大学）において、民主主義学生同盟中央が提起した全国学生統一行動の関西集会に参加するのか、学内の他の党派との共同行動の集会に参加するのか、同じ日に二つの集会が提案されてしまった場合にどっちを取るのか、という問題が発端でした。反戦デーとか反安保デーとか何かの記念日に集会を行うという古い習慣から、同一日に複数の集会が重複するという問題が発生していたわけで、日をずらすという次善の策の策定をすればよいだけの話でした。

しかし、「全国闘争が学園闘争より優先する」、「全国闘争の行動日は政治同盟中央が決定する」という硬直化した組織方針の下ではそういう判断ができずに、「学内共同行動の集会は蹴って、組織中央の提起する集会にこそ参加すべきだ」となりました。そして、学内共同行動も大切だと考える同盟員は他の党派に追随する堕落した人たちだという論調まであらわれて、こじれました。結果として複数の脱退者を出すという組織問題に発展してしまいました。

現実の政治判断では妥協は必要です。運動をしていくうえで本当に大切な原則は何なのかがはっきりしていさえすれば、妥協の道筋、次善の策は出てくるものです。次善の策を考え出すことを放棄し、官僚的に組織方針が優先するとしたのは、まったくの誤りでした。そのことが多くの活動家を傷つけました。ここに、森信成の守ろうとした民主集中制の限界が実践的に現れています。

森信成は民主主義に貫かれた前衛党を作りたいと願っていたわけですから、レーニン的前衛党の原則とされた一国一前衛党・分派の禁止・民主集中制を批判の対象にすべきでした。それができなかったのは、当時の時代的な限界性があったのだと思います。

第5章　思想的な模索と、村岡到さんとの出会い

民主主義的社会主義運動のソ連に対する評価

二一世紀に入ったころから、私は「ソ連派」の枠組みがどうにも納得ができず、思想的に正しいものは何か、はっきりさせたいと願うようになってきました。

私が労働者になってから活動していた現代政治研究会は、平和共存派の政治組織でした。文字通りの「研究会」ではなく、結成当初から政治同盟を作ることを目指していました。そして、二〇〇〇年に政治同盟である「民主主義的社会主義運動」を結成しました。

民主主義的社会主義運動はソ連についてどう考えたでしょうか。その「綱領」には、ソ連について以下のように書いてあります。

旧社会主義体制の崩壊の原因は何であったか。その基本的原因は、非民主主義的政治制度とそれと表裏一体の統制的指令的経済制度であった。

ソ連邦の政治制度においては、労働者・市民は実質的に一切の発言権をもたず、共産党政治局を中心とした党官僚がすべてを決定し、政府、議会はその決定を追認するにすぎなかった。

共産党内においては反対意見は組織的・行政的に排除され、実質的討議はなされず形式的満場一致で終わり、党内民主主義の根本である思想闘争の権利は保障されなかった。このような非民主主義的政治制度が帝国主義の包囲下ということで正当化された。

　また、このような非民主主義的政治制度の下で、国有化企業は労働者から自主性、創造性を奪った。

　統制的指令的経済制度の下、企業の生産活動のすべてが国家の丸がかえのもとでなされ、労働者がどのような質の製品を作ろうと、どのように生産性をあげようとも労働者の待遇に無関係なシステムの下、労働者は自主的・創造的意欲を失ったのである。

　ソ連邦をはじめとする社会主義国においては、資本主義的私有制度が廃棄され、搾取制度が廃止された。しかし、労働者が自主的に意思決定できるシステムではなかった。崩壊した社会主義は、資本主義を否定したが、生産手段の真の意味での社会的所有を実現していなかったのである。この弱点が、帝国主義との軍事・経済競争のなかで、社会主義世界体制を崩壊させたのである。

　しかし、ソ連邦の解体、社会主義世界体制の崩壊をもって、この社会主義建設の試みの成果を否定することはできない。

　その成果は、第一に、社会主義国人民の大幅な生活向上をもたらしたことである。第二に、社会主義国における社会保障の充実は帝国主義国に大きな影響をあたえ、全世界において福祉・医療・教育の水準が大きく向上した。そして第三に、社会主義世界体制との連携により全世界の反帝民族解放勢力、労働運動、平和運動、民主主義運動が発展した。

この叙述のように、ソ連は社会主義国であったが、共産党官僚による統制的指令的経済制度であったので、生産手段の真の意味での社会的所有は実現していなかったという見解です。私は、基本的にはそのような考え方で良いと思いましたが、このような簡単な結論だけを言われても物足りなく感じました。かつて、何のために無理してソ連を擁護するような論陣をはってきたのでしょうか。共産党やトロツキー派との血みどろの論争は何だったのでしょうか。「人が長い間悩んできたことを、たった一言で総括するんじゃねえよ」という感覚が湧いてきます。私は、解明され切れていない問題がたくさんあり、もっと突っ込んで考えたいと思いました。

また、民主主義的社会主義運動は民主集中制を採用しませんでした。その規約の中には同盟員の「留保権」についてこう書いてあります。

第五条の二　同盟員は、いかなる機関の決定であれ納得のいかない場合、反対意見を表明し、行動を留保する権利を持つ。

これは、民主集中制を廃棄したことを意味します。これは私は結論的には歓迎しました。しかし、これについても、じゃあ森信成が一生懸命主張していた民主集中制の大切さはどう解釈したらいいのか、なんとも釈然としない謎が残りました。

実践的には、ソ連派・民主集中制組織であることの弊害は消滅したわけですが、自分の中で整理しなければならない問題がまだまだ残されました。消滅した社会主義体制はいったい何だったのでしょうか？その後も残っている社会主義国のことをどう考えたらいいのでしょうか？日本での社会変革はどうなっていくのでしょうか？

拉致問題への偏見を反省

私自身の基本的な考え方について、大きな変化をもたらした事象は、朝鮮民主主義人民共和国による日本人拉致問題でした。二〇〇二年に小泉純一郎首相と朝鮮民主主義人民共和国の金正日国防委員長とが会談を行い、日本人の拉致があったことを正式に認めました。数人の拉致被害者が日本に帰国しました。

私は、それまでは日本人の拉致などは実際には存在しないウソだと思っていました。しかし、会談の直前くらいから日本人拉致事件について多くの報道がなされるようになり、あまりにもリアリティのある情報が入ってくるので、拉致事件に関する本を買って読みました。そして、これはウソではないと思ったのです。会談当日、拉致事件はあったのだというニュースを聞いて、やっぱりそうだったのかと思いました。そして、朝鮮民主主義人民共和国による拉致事件が「ウソだ」という偏見を持っていたことを恥ずかしく思いました。自分が「ソ連派」の偏見にまだまだ毒されているのだと思いました。

そこで、その後、ハンガリー事件についての勉強を始めました。一九五六年にハンガリーで起きたソ連の支配に抵抗する民衆蜂起を、ソ連は軍隊を派兵して軍事的に鎮圧しました。一七〇〇〇人ものハンガリー人が亡くなったと言います。スターリンを批判したトロツキー派の皆さんの考えを理解するためには、ハンガリー事件の事実をありのままに見ることが必要でした。ハンガリー事件など無かったことにされていた平和共存派の「資本主義の全般的危機の理論」という世界観が、マルクス主義の唯一の世界観ではないことがわかりました。

一般意志より全体意志を重視したアントニオ・ネグリ

そして、新しい思考の枠組みを探す模索が始まりました。まず、私の目に入ったのは、アントニオ・ネグリでした。ネグリはイタリアの哲学者で、アウトノミア（自律主義運動）の活動家です。ソ連的な前衛党による上からの独裁に反発し、「社会主義は終わった。目指すものは共産主義だ」と主張します。

ネグリとマイケル・ハートの共著である『帝国』（二〇〇二年）を読みました。この本は、グローバル資本が世界の隅々まで浸み込んで支配していく現在の社会状況を「帝国」という概念を使ってうまく表現してくれました。また、『帝国』に抵抗し変革していく主体は、プロレタリアートという没個性的で均質な存在ではなく、マルチチュードという様々な立場の抵抗がそれぞれの特徴を有機的に組み合わせて行われるのだと述べました。

ネグリは「代表制民主主義」が力を失い、かえって民主主義が腐敗する温床になっていることを指摘し、直接民主主義の実践を主張します。そして、新自由主義の民営化路線（＝資本による財の私物化）を否定し、「共」（コモン）による公共財の共有管理を提唱します。

ネグリとハートの共著である『叛逆』（二〇一三年）はたいへん示唆に富む本でした。森信成を真っ向から否定するような論述が出てきます。

ネグリは書きました。「『共』を、社会組織と政体の中心概念にすることは、法理論にとっても重大な意味を有する。特にそれはルソーの〔一般意志〕という概念から神秘性を取り除くのに役立つ。ルソーは一般意志を全体意志の上に立ち、またそれを超越した人民総体の意志であるとみなす。けれども、共的財は、あくまでも共同体に内在したものであり、一般意志のように共同体を超越したものではないのである」。

つまり、重要なのは人民を超越した「神秘的」な「一般意志」ではなく、共同体の全員が参加することによって練り上げられていく「全体意志」だと言うのです。森信成は「民主主義は多数決ではない。一般意志である」と主張しましたが、ネグリは全員の全体意志を実際に一致させるような共同体のありかたこそが重要だと説くのです。

ネグリは同書の中で、「私たちに必要なのは、左翼の教会を空っぽにし、その扉を閉ざし、それを焼き払うことなのだ！」と過激に叫んでいます。これは、伝統的な左翼のセクトの指導者連中が、多くの民衆が政府への抗議に集まっている場に来もせずに、「我こそは一般意志の体現者である」とふんぞり返り、自分のセクトの教会に人が来ないことを弱々しく嘆いていることへのいら立ちなのです。

ネグリの考え方は、もはや前衛党は要らないということです。民衆運動は水平につながっていくのが重要だという考えです。この考え方ははたして正しいのでしょうか。これまでの世界の民衆運動の中で、これを最も実践したのは二〇一一年のアメリカのウォールストリートのオキュパイ運動でした。アセンブリ（総会）と呼ばれる全員参加の集会でみんなが平等に意見を交換して全会一致で意志決定していくという方法を考え出し実践しました。

最近出版されたキア・ミルバーンの『ジェネレーション・レフト』（二〇一九年）という著作では、このアセンブリが行き詰まった場面が紹介されています。全参加者が水平につながる方法では、「力の強い者の意見が通り、威嚇によって提案が採用された」そして「組織に寄生する者にも、組織を食い物にする者にも、対処することができなかった」というのです。

民主集中制の正反対の直接民主主義的な組織を作る試みとしてアセンブリは実践されたのだと思います。しかし、問題が発生しました。民主集中制も、アセンブリも、どちらの極端も組織内の不正を阻止できなかったことになります。現実的に有効な民衆組織の形は、別なところにあるようです。

村岡到さんの友愛社会主義論

二〇〇六年頃に、大阪市内の大きな書店で資本主義批判とか社会主義についての本を探しているうちに、村岡到さんの『社会主義はなぜ大切か』（社会評論社、二〇〇五年）に出会い、購入しました。これは面白いなと思って気にしていると、続いて『悔いなき生き方は可能だ』（ロゴス、二〇〇七年）が出版されて、これも読みました。やがて、レイバーネットで村岡到さんが季刊『フラタニティ』という雑誌を発刊するということを知り、購読することにしました。

村岡到さんは、一九六〇年の安保闘争のデモに高校二年生で参加していらい、社会主義を求めて活動してきました。新左翼の中核派をやめて、一九七五年に第四インターに加盟し、その機関紙「世界革命」の編集部に配属されてから多くの論文を書くようになりました。一九八〇年に政治グループ稲妻という組織を設立しましたが、九六年に解散しました。以後は小さな雑誌を編集・刊行してきました。今は季刊『フラタニティ』の編集長をしています。「フラタニティ」とは、友愛という意味です。フランス革命のスローガンであった「自由・平等・友愛」の友愛です。

理論的課題としては、①ロシア革命とその後のソ連邦についての理解、②社会主義論、この二つを大きなテーマとしています。

ソ連については、トロツキーに学んで「社会主義への過渡期社会」と捉え、「国家資本主義」説は誤りであると批判しています。近年は「党主指令社会」だったと提唱しています。「党主」とは民主政の対になる概念である「党主政」の略であり、「指令」とは「指令経済」を意味するという考え方です。

また、ベーシック・インカムについては、この言葉が流行り出す前から、憲法第二五条の生存権保障に基づいて「生存権所得」として一九九九年から提唱しています（『協議型社会主義の模索』社会評論社、一九九九年）。それは将来的には現金給付から「生活カード」の給付へと形を変えるべきだという「生活カード制」も提案しています。これは、社会主義社会における分配の形態についての独自のアイデアで、市場に代わる「引換場」で生産物と引き換えることのできるカードを、「労働に応じて」ではなく「協議した計画」によって給付するという内容です。

現在の日本の政治制度については「歪曲民主政」と規定するのが良いと提唱しています。日本国憲法には主権在民とされていますが、現実には市民の声を政治に正しく反映させるのとは程遠い選挙制度になっているからです。例えば、小選挙区制は与党が議席を水増しして得ることができるという不公平な制度で、国会に民意が反映できなくなっています。比例代表制の選挙への転換が必要だと主張しています。

以上については、『友愛社会をめざす』（ロゴス、二〇一三年）の「創語録」で説明されています。

天皇制については、現行の象徴天皇制を廃止し、天皇から国事行為などの一切の政治的役割を取り上げ、「文化象徴天皇」として残すという提案をしています（『文化象徴天皇への変革』ロゴス、二〇一五年）。私は、たいへん保守的な田舎の出身なので、大阪の人とは違って生まれつき天皇には親近感があります。ですから、政治的には天皇制を廃絶して共和制にしながら、文化的なシンボルとして天皇を残すというアイデアは、保守的な田舎の人も含めて議論してみる価値があると思います。

村岡到さんに惹かれたのは、ソ連の「社会主義」についての分析を入念に行っていることです。ロシア革命のころにまでさかのぼってソ連の政治・経済・社会について様々な立場からの論述を検討しています。

また、村岡到さんはマルクスやレーニンについても批判的に検討しています。マルクスもレーニンも、その時代の社会変革運動の現場で闘った人なので、その時代の闘いの局面に応じて資本主義批判を論じています。ですから、資本主義の形が変化している現代になって見てみると、もはや適応できない点が出てくるのは当然なのです。原理主義的にマルクスやレーニンの論説を「修正不可能」な教義にたてまつる傾向の左翼セクトもある中で、マルクスやレーニンのどこが今も正しくて、どこは誤りであるか、客観的に検討することが必要なのです。

そんな村岡到さんの社会主義的変革の筋道は、一切の法律をブルジョア的だからと否定する古典的なマルクス主義的解釈ではなく、則法的に非暴力的に変革していくという「則法革命」を提起しています。プロレタリア独裁ではありません。フランス革命のスローガンであった「自由・平等・友愛」のうち、自由や平等はよく語られるのに、友愛が語られることが少なすぎることを問題だとしています。友愛を大切にする社会こそが、新しい社会主義像だと主張しています。

また、村岡到さんが日本共産党に対して建設的な批判を行っていることも好感が持てます。一九七八年から「共産党との対話」を主張しています。私は以前から、日本共産党は日本の民主的な変革をするうえで、共同行動の相手として重要な勢力だと評価してきました。村岡到さんは、共産党の党員よりも詳しく「赤旗」を読んでいるのではないでしょうか。共産党の一挙一動についてこと細かく批判をしていますが、それが揚げ足取りではなく共産党の前進を願っての愛があるゆえの批判になっているのです。最近では、今年一〇月の衆議院総選挙をめぐって、共産党の「閣外協力」が問題として浮上してきましたが、村岡到さんは「共産党は閣外協力するべきだ」と二〇一五年から何回も主張されていました。

さらに、日本のマルクス主義の界隈では、宗教を論じることはほとんど無いのです。マルクスが「宗教はアヘンである」と書いたことが教条的に流布されてきたからです。歴史的に見て日本という国では早い時期から世俗化が進んできたことも影響しているかもしれません。しかし、世界に目を向けてみると民衆の解放運動が宗教と密接に結びついている例がいくらでもあります。また、日本の民主主義運動や資本主義からの脱却の運動は無神論者だけでやればいいというものではありません。村岡到さんは、「宗教と社会主義との共振」を求めていて、宗教の中にも社会主義へのモーメントを見出すことができると論じています(編著『宗教と社会主義との共振』ロゴス、二〇二〇年・『同Ⅱ』ロゴス、二〇二一年)。

私は、自分は唯物論者だと思っていますが、民衆のために革命的に生きた親鸞上人のように、悪人も善人も貧困者も被差別民も含めてあらゆる人を救済しようと東奔西走した宗教者の姿の中に、現代に置き換えれば社会主義運動に通底する思想があることを感じています。マーティン・ルーサー・キング牧師やマハトマ・ガンジーのように、優れた解放運動を組織した宗教家もいます。

また、村岡到さんは前衛党論としては、レーニン的な前衛党論を否定します。一つの国に前衛党は複数あっても良いのだと主張します。一九八八年に『前衛党組織論の模索』（稲妻社）を刊行しています。前衛党が英知を結集して情勢分析をしたとしても、あらゆる事象を全面的に分析することはできないので、部分的な認識にとどまるしかないのです。ですから、複数の前衛党ができてしまうし、あったほうが良いのです。

そして、「複数前衛党」と合わせて、民主集中制を超える「多数尊重制」を提唱しています。これは、前衛党の中で多数意見と少数意見とに分かれてしまった場合、少数意見の人は「私の党の多数はこういう意見だが」ということを明らかにしたうえで、「しかし、私は違う意見である」と表明して活動することができるというものです。これには賛成できます。

このような村岡到さんの理論を読みながら、これまで自分がたどってきた道を振り返り整理することができるようになってきました。もちろん、すべての問題が解決されたわけではありません。未解決の問題を異なる意見の人と意見交換しながら考えられるようになってきたのです。

第6章　八〇年代を反省して

ここでもう一度、八〇年代の民主主義学生同盟の学生運動の反省点をまとめておきたいと思います。九〇年代以降の労働者になってからについては、現在進行形で活動が続いており、試行錯誤の最中です。その点の反省はまたのちの機会に譲りたいと思います。

平和共存派（ソ連派）としての反省

ロシア革命が達成した様々な成果は大切にしなければいけません。しかし、ソ連のアフガニスタン侵攻からあと、平和共存派は内部に抱えた矛盾を処理しきれずに行き詰まりました。社会主義世界体制の崩壊によって、その理論的・実践的誤りは最終的に誰の目にも明らかになりました。

「社会主義国は戦争をしない」というのも「資本主義国は不可逆に社会主義国へ転換する」というのも「社会主義国が存在することで資本主義国での社会主義化が加速する」というのも誤りでした。現実に存在する社会主義国であるソ連の問題点に目をつぶっていたのでは、社会主義への筋道を立てることは期待できませんでした。また、資本主義が持っている適応力の強さを過小評価し、経済危機になっているのだからすぐにでも革命的情勢になるはずという国内情勢の判断をしていたのも誤りでした。

六〇年安保闘争の再来を夢見た者としての反省

全員加盟性自治会と単一全学連の再建という目標は、六〇年安保を闘った政治運動中心の学生運動の再興を目指していたわけですが、高度経済成長を踏まえて社会情勢が変化し、学園紛争によって学園状況が変化していたことを直視していませんでした。情勢の変化を正しくとらえずに過去の夢の再来を追い求めていたのでは、運動が破綻するのは目に見えています。新しい運動の目標と形態とを創造することが問われていました。

民主主義学生同盟がなぜ三つに分裂してしまったのか、よく考えるべきでした。互いに攻撃しあうのではなく、基本路線の誤りが組織分裂という形になって現れたのだという事を認識すべきでした。

活動家が自分の生活を犠牲にするような活動スタイルは誤りで、生活の確立を踏まえて長期的な展望を持った運動を作るべきでした。

レーニン主義者としての反省

レーニンの帝国主義の分析は正しかったと思います。しかし、レーニン的な民主集中制はロシア革命では有効だったのかもしれませんが、日本の運動の中では運用不可能なシステムであったことが、実践の中ではっきりしました。官僚主義がはびこり、運動の混乱をもたらしました。

前衛党は一つの国に一つしかあってはならない、一切の分派は認めないというレーニンの前衛党論も、党派どうしの激しい、時には暴力的な憎しみあいの党派闘争をもたらし、運動を消耗させていました。内ゲバは絶対に繰り返してはいけません。資本主義からの脱却をめざす運動体どうしが互いに尊重しあい学びあう友愛の精神で共同行動を作らなければ、資本主義の克服などできはしません。

マルクス主義者としての反省

マルクスによる資本主義の経済分析は正しかったと思います。しかし、政治的な方針の面では、誤りがありました。法律や道徳を全否定して「すべての社会組織を転覆する暴力革命」と「プロレタリアートによる革命的独裁」を唱えたのは誤りだったと思います。民主主義運動として民主的変革を指向しているにもかかわらず、独裁を正当化し倫理を否定する非民主的な言動があちこちで出てくるのでは、運動参加者が不信感を持つのは当然でした。

「マルクス主義者」の中には、マルクスの誤りを認めたがらない人が多いのです。しかし、スターリンだけが悪かったのではなく、レーニンにもマルクスにも誤りがあった点については、はっきりと反省するべきです。マルクスの正しい面を受け継ぐからこそ、そうするべきです。

多くを語らない平和共存派

しかし、反省はしたうえで、その運動の果たした積極的な役割を否定することはできません。世代を結んで戦争体験を継承し、平和と民主主義を守るため声を上げ続け、差別に反対して人権を守り、国際連帯と友情を広げてきました。一九七〇年代から受け継いだ運動の積極面も、負の遺産も、それぞれ受け継ぎながら苦闘し、新自由主義の始まりという情勢に応えようと奮闘し、着実に過去からの運動の継承発展を担ってきたのです。

そして、その運動は二〇二一年の現在も様々な形で受け継がれています。ですから、はっきりとした総括が必要なはずです。

残念なことに、長年にわたって平和共存派で活動してきた活動家は、多くを語ろうとはしません。全共闘の回顧録などは出版されて書店にならんでいますが、平和共存派は沈黙を守っているせいで、その存在は無視されています。

これでは、資本主義からの脱却をめざす新しい運動を始めることはできません。平和共存派こそが反省しなければ、日本共産党の過去の過ちに反省を求めることもできません。トロツキー派の流れをくむ活動家との共同行動にも支障があるはずです。

第7章　新しい世代に故郷と呼べるものを

民主制を発展させて安定した定常社会へ

社会主義体制崩壊後の二〇世紀の終わりに流布されたポストモダンの論説は、「大きな物語は失効した」、つまり「全人類の行方を議論することなどはもはや誰にもできないのだ」と主張しました。私はずっとこの論調には違和感をいだいてきました。小さなことを捨象するのではなく、細部にもこだわりながら、でも「人類は生き延びなければならない」という大きな物語を議論しなければいけないと考えてきたからです。

二一世紀も二〇年が過ぎ、社会主義世界体制はすでに存在していません。そのせいで新自由主義の暴走は止まらず、なおさら資本主義の矛盾は激化しています。マネーゲームのようになってしまった現代のグローバルな資本主義は、子々孫々のことまで考える余裕を失い、今日だけ、その場だけ、自分だけ良ければいいという近視眼的な価値観に陥っています。金をもうけたい者も、金をもうけたくない者も、金もうけを考えないほうがいい立場の者すらが竜巻のような資本の金儲けの渦に巻き込まれ、人間の本来の平穏で健康な生活が奪われています。人と人との対立と葛藤が深まり、貧困と過重労働と戦争と環境汚染で人命が不条理に失われています。斎藤幸平さんの『人新世の「資本論」』（集英社、二〇二〇年）がベストセラーになったことでもわかりますが、資本主義では人類は生存できないと考える人が急増しています。地球温暖化・気候危機は今すぐに対処が必要な事態です。安定した定常社会への移行をするべき時なのです。私自身、今のままでは今後の生活が不安です。

また、資本主義から脱却し安定した社会を創る運動は、少なくとも民主制が形式的にでも実行されている国では、暴力と独裁によってなされるのではないということも、はっきりしてきたと思います。友愛と人権尊重の精神に基づき、民主制を発展する形で法にのっとって社会変革は行われるべきです。

幼虫からさなぎへ、そして成虫へ

そのような社会変革は、たった一回の革命によって全てが一足飛びに覆るのではなく、長期間にわたる、いくつもの段階を踏んで順序だてて変革していく過程になるはずです。改良改革が長期間にわたって積み上げられる中で、中規模の革命が何回も起きるイメージでしょうか。また、資本主義はグローバルに展開しているので、一つの国だけでは資本主義は克服できません。国際的な共同行動で変革する過程になると思います。

資本主義の抱える問題は多岐にわたり、どの点に着目するか、どの点を優先するかによって、資本主義脱却の道はいくつもの路線が考えられ、分岐点が現れてくると考えます。

資本主義脱却や社会主義をめざす運動の中にも、様々な目標を掲げる運動体が実際にでてきています。「コミュニズム」「友愛社会主義」「共同体社会主義」「民主主義的社会主義」「社会民主主義」「反緊縮社会主義」「脱成長の社会」のような社会変革の目標を現す言葉を見ることができます。

必ずしもはっきりとした変革目標を掲げていなくても、資本主義からはみ出していく実体を創るアナキズム系の社会運動が、津々浦々にあります。アナキズムには、暴力的・破滅的な傾向の人も存在しますが、生活者として有機農業を実践するなどの創造的・持続的な傾向の運動もあります。生活者としてしっかりしている人ならば、アナキストとも共通の目標を目指すことができるのではないかと思います。

そのような、資本主義脱却を目指す運動が例えば三つくらいの政党を形成し、その協議による連立政権を作っていけばいいのだと思うのです。複数の前衛党が含まれてもいいでしょう。連立政権の組み換えも、何回か行われることもありえます。

私は、資本主義を脱却して次に現れる社会は「社会主義」社会と表現して良いと思っています。しかし、ヨーロッパでは「社会主義という概念はソ連と一緒に滅んだ」という考えの人が「社会主義」という言葉を使いたがらない現実があります。かつての社会主義世界体制の負の経験から、「共産主義」という表現も使わないという人もいます。斎藤幸平さんも「社会主義」「共産主義」とは言いません。それはそれでもいいと思います。「コミュニズム」や「コミューン主義」という表現もありだと思います。問題なのは、その言葉で表現される内実です。

重要なのは、資本主義から脱却する道を一緒に歩いていくということです。それは例えれば昆虫の幼虫が成虫に羽化するようなものです。芋虫からさなぎへ、さなぎから蝶へと変化する過程を共同で計画し試行錯誤することです。資本主義から社会主義への移行は、一足飛びにはできず、中間段階である「さなぎ」の状態が必要だと考えます。現行の資本主義社会の中のいくつもの資本主義的要素を、それぞれ何年間かのプロジェクトで変革していくことになります。どの要素からとりかかるか、考えないといけません。庶民の生活が大きく混乱するような事態を避けて、変革は進めるべきです。それには、様々な立場の人が参加する必要があります。脱資本主義「羽化」計画（Post Capitalism Emergence Project）とでも表現されるような共同行動を進めていく必要があります。

共同行動に参加する政党や運動体は、それぞれの得意な分野を活かしながら連携していくことになると思います。人間の体内で腎臓や心臓や神経が、それぞれの役割を果たしながら有機的に連携していることをモデルにして考えたらいいと思います。

そんな時に、必ずしもマルクス主義的ではない考えも積極的に取り入れていくほうが良いと思います。マルクス主義は完全無欠ではないからです。反科学の立場や、民主主義否定の立場の人は困りますし、友愛を大切にしない人は遠慮願いたいですが、できるだけ幅の広い勢力の参加が必要です。たとえば、宗教者や民衆宗教運動にも参加してもらったほうが良いのです。「資本主義の枠組みは維持してもいいけど、よりましな資本主義にしていきたい」と言う人も、民衆の生活を守る生活者の立場であるならば、一緒に参加するべきです。

故郷と呼べる共同体を創る

最も大切なのは資本の抵抗を抑え込むだけの力をどう作るかです。資本家個人を暴力的に罰するという意味ではなく、経済構造としての資本が金儲けしないと生きていけないという状態を解消するということです。議会での多数派形成は必要ですが、それだけでは難しいと考えます。資本主義は生産の場で搾取をなくしていくことが肝腎ですから、労働組合が職場で資本を圧倒できるような力を持つことが大切だと考えます。マスコミ企業での労資の力関係を圧倒的に労働側に強めることも、世論の公平性を保つためには必要です。ストライキを当たり前に撃てるような産業別労働組合が必要ですし、そのような組合活動家が全国各地の至る所に存在する必要があります。人々の生活に直結するエッセンシャルなケア労働の労働者がストライキをしたらどうなるのか。そこを考えておかねばなりません。

資本の支配の道具になり果てた企業別労働組合の限界を克服し、正社員か派遣社員か請負社員かという分断を超えて、協働の共同体を復興させることが前提になります。「職場の友愛に満ちた労働組合を」「企業の枠をこえて労働組合を」、私はこれを実践することを大切にしていきたいと思います。

資本主義は、働く場においても、消費の場においても、もうけのために人をだましたり脅したりすることを厭いません。また、資本主義は、労働者や弱者から搾取し抑圧するために強力な共同戦線を組んで襲いかかってきています。資本主義から脱却する運動に参加するということは、そのような資本主義に飲み込まれず、だまされず、しっかりと社会の現実を裏側まで見透かしながら、自由に生きていくことです。一人では抵抗できない資本の攻撃に力を合わせて反撃していくことです。

先輩方の血のにじむような努力の成果を受け継ぐことが必要です。そしてその積み上げてきた到達点の上にさらに階段を積み上げ、これから生まれてくる新しい世代に、故郷と呼べる安心して生活できる共同体を創り、残していくことが大切です。

政党の役割、知識人の役割

最後に、政党・政治同盟の役割について述べておきたいと思います。

資本主義からの脱却をめざす運動の中で、政党・政治同盟は必要ないと言う人もいますが、私は政党・政治同盟が果たす役割はあると思います。

資本主義からの脱却のためには、新しい社会の仕組みを構想することが必要になってきます。これは設計図を描くことですから、頭の中の着想をある程度体系化したイデオロギーが必要になります。一方で、現実の社会に発生している問題に毎日のように着実に応えて、一歩一歩変革の道を進めていくという、地道な改良的な取り組みも必要になります。イデオロギーが現実と遊離してしまってはいけないので、「あるべき姿」と「現在の姿」との橋渡しをすることが必要になってきます。

それが、政党・政治同盟の役割だと思うのです。

新しい社会の仕組みの構想、つまり脱資本主義のイデオロギーの構築には、これまでの資本主義の歴史の分析と、現時点での世界情勢・国内情勢・職場情勢・文化情勢の研究が必要になります。ですから、その役割を脱資本主義を目指す知識人が担うことになります。経済学はもとより、哲学、社会学、文化人類学、自然科学などの知見を総合しながら構想していかねばなりません。

脱資本主義を目指す運動には、議会の中での運動と議会の外での運動と、両方が必要になります。代議制民主主義の社会では、議員を選出する選挙をめぐる活動が重要になってきます。選挙戦です。問題は、選挙をめぐる政治には特有の選挙サイクルというものがあり、「選挙の専門家」が密室で排他的に企画したり判断したりする側面があるということです。それは時として、議会の外での運動と軋轢を生じます。例えば、二〇二一年一〇月の衆議院選挙で東京八区で発生した事態です。野党共闘で候補者の一本化をするために、長年地域活動をしてきた立憲民主党の候補者がいきなり「立候補を取りやめろ」と言われたという事件です。結局は、れいわ新選組と共産党が立候補を取りやめ、一本化が実現して勝利しました。しかし、立憲民主党内部での候補者決定過程には問題があると思います。選挙運動には、選挙制度に規定された独特の論理があるのです。それが、地域の市民活動や労働運動と微妙なズレを発生させます。

そのような軋轢は必ず発生するのですが、そんな時に常に議会政治を優先させるというのは誤りですし、逆に常に地域活動を優先させるという事にもなりません。異なる理屈で動くものを有機的に調和させていくことが、政党・政治同盟の役割になってきます。政党・政治同盟は、議会政治と大衆運動との結節点です。そして、知識人と大衆運動との結節点でもあります。結節点とは、ジョイント（関節）であり、柔軟に動くことが必要です。不断に新陳代謝し自己刷新し、弱い個人のためらいをも尊重する柔軟性を保つ力が問われてきます。

資本主義からの脱却をめざす政党は、脱資本主義のイデオロギーについて、つまり新しい社会像とそこに至る道筋について、知識人たちの議論をまとめて、人びとに対して提案し論議を作らねばなりません。人々の現実生活に基づく知恵を総集約し、イデオロギーを刷新していかなければなりません。イデオロギーには、すぐに硬直化しやすいという特性があるので、特に注意する必要があります。そして、市民や様々な分野の活動家との協議を通じ、当面の政治情勢・経済情勢に対応する政治スローガンを立て、労働運動や市民運動を組織し、必要に応じて街頭でのデモを行い、議会内での活動と選挙運動を行わなければいけません。

そして、そこで発生する様々な軋轢や矛盾の間に入ってバッファ（緩衝材）となり、諸団体の利害を調整し、問題を解決しなければなりません。そのようにしながら、政党・政治同盟それ自体と、運動を行う諸団体とが、構成員を増やしながら運動を維持、継承、発展していけるように力づけていく必要があります。

資本主義からの脱却をめざす政党・政治同盟は、複数あって当然です。資本主義の様々な問題点のどこを重視するかで路線が微妙に変わってくるからです。ですが、それらの政党は無用な争いをすることなく、共同行動をすることが大切です。

これまでの歴史を見ていると、政党・政治同盟が分裂し、労働運動や市民運動が分裂し共闘できなくなった時、知識人のイデオロギーの対立が原因になっていることが多かったのです。知識人どうしの意見の違いは発生して当然です。問題はそれが不毛なケンカになってしまったということです。

必要なのは、知識人が意見の違いを前提にして、各々の意見を発表しあい、集団で検討していく学会を創ることです。幅広い知識人が参加する「脱資本主義学」の学会が必要です。

日本ではこれまで長い間、マルクス主義の知識人・学者は現実の政治に積極的にアプローチしない人が多かったのです。それは、政党・政治同盟が知識人・学者の意見をまともに聞こうとせずに、真理は何なのかという探求よりも組織の政治的決定を優先させるようなことをしてきた過去があったからです。下手に政治に手を出すとヤケドする状況があったのです。また、政党・政治同盟の御用学者はその政党の理論政策部門だけでは活動するのですが、他の考えを持つ知識人との他流試合を行う機会は避けてきました。

しかし、最近はその雰囲気も変わりつつあります。例えば立命館大学の理論経済学教授の松尾匡さんがいます。松尾匡さんはマルクス経済学とケインズ左派経済学のハイブリッドのような考え方で、ギリシャのヤニス・バルファキスなどの欧米の反緊縮派の考えをいち早く日本に紹介しました。新自由主義の緊縮路線に抵抗し人々が貧困な生活から抜け出すためには、国家が大規模な財政出動をするべきだという考え方です。ケインズ経済学的な分析から、日本は国債を発行しても当面はインフレになることは無いので、緊急の国債発行を財源にして消費税廃止を行い、長期的には富裕層への課税を強化すれば良いと提唱しています。松尾匡さんは、国家は財政赤字であったとしてもいくらでも国債や通貨を発行してもかまわないというＭＭＴ理論（近代貨幣理論）を日本に紹介した人としても有名です。松尾匡さん自身はＭＭＴ派ではないのですが、ＭＭＴのような極端な考え方もあると紹介することで、議論を興そうとしたのです。

マルクス主義の理解の方法論では、徹底した疎外論から議論を組み立てていて、個人の疎外を問題にし、共同体主義的な論じ方をしません。

松尾匡さんは、反緊縮左派の運動として二〇一九年に「薔薇マークキャンペーン」をたちあげました。れいわ新選組が二〇一九年に結成される契機ともなっており、れいわ新選組の主張には松尾匡さんの影響が強く見られます。

また、大阪市立大学の哲学教授の斎藤幸平さんが二〇二〇年に発刊した『人新世の「資本論」』は、地球温暖化・気候危機を資本主義のもたらした結果と説き、資本主義を廃絶してコミュニズムに向かおうと呼びかける著作ですが、三二万冊以上という信じられないほど売れたベストセラーになっています。

斎藤幸平さんは、新ＭＥＧＡの編集に携わった経験から、晩年のマルクスは環境問題に強くこだわっていたと、新しいマルクスの読み方を提唱しています。そして持続可能で公正な社会を実現する唯一の選択肢が「脱成長コミュニズム」であるとします。気候危機に対する若者の抗議活動の支援や、テレビでの討論や講演活動を精力的に行っていて、「脱成長コミュニズム」をメジャーな世論にするべく動いています。

松尾匡さんの場合は格差社会で貧困に苦しんでいる庶民に着目していますし、斎藤幸平さんの場合は気候危機によって人類の将来が生き延びられない状態になっていることに着目しています。それぞれの着眼点の違いによって、論じている内容はずいぶんと異なる様相を呈しているのですが、それぞれに真剣に資本主義からの脱却を考えていることは間違いありません。一つの山に、別々の登山口から登ろうとしているように思います。

資本主義からの脱却をめざす政党・政治同盟は、そのような知識人・学者との対話をまじめに取り組まなければいけません。書店に脱資本主義についてのベストセラー本が積んであるのに、そのことを無視して語らないようでは人々の信用は勝ち取れません。

脱資本主義学の学会のような取り組みに強く関与してこそ、政党・政治同盟の信頼性が高まるのです。そのような取り組みに関心を示さず、政党の中に引きこもっているばかりの御用学者では、これからの資本主義脱却の運動には活躍する場面はありません。

民主主義的社会主義運動に望むもの

民主主義学生同盟の流れを汲んだ政治同盟として、「民主主義的社会主義運動」が今も盛んに活動しています。機関紙は「週刊ＭＤＳ」です。二〇〇〇年の結成以来、様ざまな運動に取り組んでいます。団体名の中に「主義」が二回も出てくるのが少々堅苦しいのですが、その分真面目なのだと思います。

私は、民主主義的社会主義運動には、先に述べたような政党・政治同盟としての役割をぜひ果たしてほしいと思っています。

民主主義的社会主義運動は、新自由主義が生み出す目の前にある様々な問題に対して、正面から向き合い、地道に大衆運動を創ることを実践しています。市民と野党との共闘を進めるために、様々な政治勢力との共同行動を着実に作っています。

その分、「民主主義的社会主義とは、どんな社会主義か」という大きな絵を描く議論の具体化では少し遅れを取っている気もします。二〇二〇年に出した『コロナ危機を克服し社会を変える18の政策』という政策集パンフも、当面実現しなければいけない政策ということでたいへん実践的なのですが、資本主義を超えて社会主義へと踏み込むほどの射程はまだ無いかと思います。それはそれで現実の政策集としては良いのですが、「どんな社会主義を作るのか」という自由な議論が弱いという点は民主主義学生同盟のころからあまり変わっていないなと思います。

民主主義的社会主義運動が目指すものは、社会民主党が目指すものとは異なっているはずです。資本主義の枠組みの中で、より良い資本主義を作ろうという社会民主主義の運動、それはそこからさらに進めて資本主義からの脱却まで構想する運動とどう関わってくるのか、何がいっしょで何が異なるのか、考えるべき時です。

もちろんそれは、民主主義的社会主義運動だけではなく、日本共産党についても言えることです。共産党が目指すものは何か、社会民主党とはどう違うのか、より魅力的な脱資本主義の形をこれまで以上に打ち出していくべきです。

政党・政治同盟がより良い役割を果たすように変わっていく時、資本主義から脱却する運動は、より現実味を帯びた新しい段階に入っていくはずです。

民学同の魂は受け継がれている

資本主義脱却の運動に一人でもたくさんの人が参加することが、みんなの自由と平等と友愛とを拡大します。それはたいへん生きがいのある生き方です。振り返ってみれば、私は民主主義学生同盟に出会って、本当に良かったと思っています。

民主主義学生同盟（民主主義の旗派）は、反独占統一戦線による民主主義的な構造改革による社会主義への道をめざしていました。一部の政治的エリートによる武装蜂起・暴力革命ではなく、広範な民衆の大衆運動によって社会を下から変えていこうとしました。ごく普通に生活している人びとへの友愛がありましたし、共産党を含めて他の社会運動体への尊重の姿勢がありました。その魂は二〇一五年以降に拡大してきた野党共闘路線にしっかりと受け継がれていると思います。

現在の学生は、高額の奨学金を借りなければならず、バイトに明け暮れて一回生から就職活動をしないといけない状況で、本来の勉学ができない問題に直面しています。学生運動にしても、労働運動にしても、市民運動にしても、これからの運動はスマホやＳＮＳが生まれた時から当たり前にある世代が中心になって、その世代ゆえの矛盾を解決し解放を勝ち取るために作っていくでしょう。それは様ざまな世代を結び、資本主義からの脱却と人類の生存にきっとつながっていきます。

民主主義学生同盟はすでに存在していません。しかし、民主主義の情熱的な活動の火は受け継がれ、絶えることはありません。「ソ連派」の歪みを反省し、レーニン的な党組織論・民主集中制やセクト争いの残渣を克服することが大切です。古い理論と硬直化した組織にしがみつくだけではなく、広く様々な意見をよく聞いて運動を作っていくべきです。

新自由主義が本格的に始まった一九八〇年代、ソ連崩壊前夜の一九八〇年代に運動の渦中にいた者がその反省を明らかにするべき時です。そのことで、これから新しい世代が作っていく運動はより確かなものになると考えています。建設的な形で世代を結びたいです。

資料1

民主主義学生同盟結成趣意　一九六三年九月

人類の破滅か平和共存か第三の道はない。

世界史の現段階は、平和の問題を人類にとって最も重要な問題として前面に押し出している。世界史の諸情勢は、既に平和と民主主義、民族独立、社会主義の諸勢力に有利に展開している。

帝国主義の好戦的反動勢力は、現在の危機を帝国主義体制の再編成と戦争政策の推進によって回避しようとしている。彼らの志向をとりわけ熱核戦争への志向を封じ込め、彼らを孤立化させ、平和共存への転換をかちとることが平和のために闘う諸勢力にとっての中心的課題となっている。

われわれは何よりもまず平和と平和共存のために闘う。

部分的核停条約の締結によって、全面核禁止への画期的な第一歩がすでにふみだされた。われわれはこの成果の上に当面一切の核実験の禁止と、一切の核兵器禁止のために闘う。

われわれは全面完全軍縮を現実的な目標としてその実現のために闘う。

わが国における平和に対する最大の危険は、アメリカ帝国主義との階級同盟（安保体制）に依拠して、平和共存政策に反対し、帝国主義的膨張政策を採用している日本の帝国主義ブルジョアジー、とりわけその最も好戦的グループによって生み出されている。

かれらは極東における新たな攪乱者となろうとしている。

われわれは、帝国主義的好戦的、冷戦政策の一切のあらわれに反対し、核武装阻止、非核武装宣言、非核武装地帯実現のために闘う。

憲法改悪に反対し、自衛隊の解散を含む憲法の平和的条項の完全なる実現のために闘う。

日ソ日中貿易の拡大と対米依存政策の転換のために闘う。

米軍事基地撤去、主権の完全回復、安保破棄、非核武装中立の実現のために闘う。

われわれは、わが国の平和運動の現状を反省し、平和を願うすべての人々の統一を強く希求し、運動を無力にする左右の分裂主義、セクト主義の克服のために闘う。


戦後日本の民主主義は、帝国主義的復活をとげた日本独占資本の反動政策によって制限され、切り縮められ形骸化されてきた。

現在、民主主義の擁護、拡大、徹底は独占とその国家の利己的政策に反対し、日本の政治と経済の民主的改革をかちとる闘争なしには実現されない。今日の民主主義は労働者階級によって勤労諸階級をその推進者とする。

われわれ学生の闘争はこれら諸階級の闘争と結合した時のみ真に強力なものになることをわれわれは知っている。

われわれは民主主義の擁護、拡大、徹底、社会進歩のために、日本の学生運動が重要な貢献をなしうるものと確信している。

　われわれは当面、あらゆる反動立法阻止、あらゆる反動的法律の撤廃、憲法の平和的民主的条項の完全実施のために闘うことが学生大衆の基本的利益を守る道と考える。

　日本の独占と政府は、戦後一貫して、民主的教育、学問研究の自由、大学の自治、学生の生活と権利への不当な干渉と制限を加えてきた。今やかれらは、大学の全面的支配を企図している。われわれは民主教育の擁護、学問研究の自由、大学の自治擁護、実現のために闘う。われわれは学園の民主化と学生の権利の擁護学生生活向上のために闘う。

　分裂している全学連を統一することは、現在われわれの闘いの前進の決定的な環である。トロツキストによる全学連の私物化、平民学連による全学連分裂工作のごとく、大衆運動の利益をあからさまにふみにじり政治的見解の相違を理由に統一した闘いを拒み、特定政党政派のセクト的利益を全てに優先させることは断じて許されない。

　小児病的極左冒険主義、その表裏一体としての右翼的大衆追随主義をわれわれは断固拒否するものである。国際学連の旗のもと平和と民主主義、よりよき学生生活のために、全学連の再建、学生運動の統一の実現のために闘う。

　われわれは科学と民主主義の見地に立って、現在の思想的混乱と組織的分裂の克服のために闘う。

　日本の民主的青年を結集し、代表すべき民主青年同盟は、現在一部指導者の組織内民主主義の破壊、官僚主義、民族主義により民主的青年の要求を正しく反映しなくなっている。平和と民主主義、独立を愛する学生の最も先進的な部分が民青から組織的に排除されている学生戦線に於いて、民青一部指導者によるセクト主義分裂主義は学生運動の正しい発展と全学連再建の大きな障害となっている。

かかる条件の下で、われわれはすべての民主的学生の最も先進的で献身的な部分が、民主主義学生同盟に結集し、われわれとともに平和と民主主義運動の発展と統一のために闘うことを呼びかける。

資料2

日本共産党第八回大会——新綱領の決定と反対派

①一九五五年七月の六全協（第六回大会・第六回全国協議会）は統一派（国際派）と主流派（所感派）の対立、分裂という、いわゆる「五〇年問題」に終止符を打ち、極「左」冒険主義（火炎ビン戦術）の自己批判（それは、政治責任が明確化されていないなどの不十分さをもっていたが）の上に立って、党の再生の第一歩を踏み出した。

②五八年七月の第七回大会は、宮本顕治書記長が、党章草案を提案したが、大会代議員の三割から四割の代議員が、反対ないし保留の立場をもったので、綱領部分は決定できず、規約部分のみ採択。

〈党内論争の展開〉

「党章草案」派は、日本を米帝国主義の従属国であると規定し、従って日本革命の戦略を、民族独立、民主主義革命であるとした。

同反対派は、日本を独占資本主義国（帝国主義国）であると規定し、従って日本革命の戦略を、反独占社会主義革命であるとした。

③八大会前夜

▼六一年三月に開催された一六中総（第七回大会第一六回中央委員会総会）は、綱領草案を多数決した（中央委三一名中、反対五名、保留二名）。

▼同年七月八日　春日庄次郎（中央統制監査委員会議長）が「離党声明」を発表。

▼同年七月一五日　山田六左衛門、西川彦義、亀山幸三、内藤知周、内野壮児、原全吾が連名で、「党の危機にさいして全党の同志に訴う」発表。

・綱領討議が、党中央の官僚的指導によって、民主的討議が困難である。

・第八回大会の延期と討議のやり直しを要求。

▼同年七月二三日　旧東京都委員グループ「声明」

「派閥的官僚主義者の党内民主主義破壊に対する抗議」

▼学生グループの動き（全学連反主流派）

・大阪府学連（後述）

・全自連グループ　離党ないし除名

東教大〔東京教育大学〕（全員離党）・早稲田大・兵庫県学連（神戸大）・立命館大

▼同年七月二五日〜三一日　第八回大会開催。新綱領採択（満場一致）

④春日離党声明

（内容）

⑴綱領草案の現状規定の誤り

⑵党内民主主義の圧殺

（評価）

⑴「声明」はその主張の中に、多くのそれ自体正しい意見も含まれていた。

⑵問題は、党に対する闘いを「離党」という形で表した党内闘争のすすめ方である。

（中略）

⑤大阪府学連の闘いと民学同の結成

日本共産党の六全協、第七回大会から第八回大会の過程は、六〇年安保闘争の大衆的昂揚の時期であった。「平和と民主主義、よりよき学園生活のために」（全学連八中委九大会）闘いの一翼を担った学生運動は、ソ連共産党第二〇回大会（一九五六年二月）のフルシチョフ第一書記によるスターリン批判、ハンガリー事件（一九五六年一〇月）などを契機にその主流を、反日共、反スターリン主義を掲げるトロツキー主義者がにぎっていた。しかし、国会突入を頂点とする街頭ラディカリズム（極「左」日和見主義）は、広汎な学友の批判をよびおこしていた。

いわゆる全学連反主流派は、前記八中委九大会路線の上に立って、六〇年七月に全自連（全国学生自治会連絡会議）を結成した。（六一年七月解散）

大阪府学連とその翼下自治会は、統一の可能性が完全に汲みつくされていない段階で、全自連を結成し、分裂を固定化することに反対して加盟しなかったが（全自連との）運動上の連帯は保持していた。（同盟五年の歩み「大学の民主的変革のために」（現政研刊）所収）

六一年七月のマル同「全学連」第一七回大会以降決定的になった全学連の分裂の中で、大阪府学連を中心に兵庫県学連（中心は統社同＝フロント）と京都府学連（京大、同志社大＝関西ブント、立命館大＝統社同）は、地方学連としての統一的機能を保持し、六二年春からの大管法改悪反対闘争を関西三府県学連統一行動として担った。六二年六月の関西の闘い以降、大管法闘争は全国に拡大し、六三年一月池田内閣は遂に、大管法国会上程を断念せざるを得なかった。

大阪府学連の中心的活動家であった学生党員は、「④春日離党」の項で展開した批判点の上に立って、党内に留まり、党内闘争を展開していたが、第八回大会直後の査問委員会に於いて、権利停止処分をうけその後次々と除籍されていった。

学生党員は大衆運動の利益を守り、その組織的保障である大阪府学連を、共産党（代々木派）の大衆運動破壊から防衛する為に奮闘し、折からの大管法反対闘争の先頭に立って闘い、民主主義学生同盟結成（六三年九月）に尽力した。

☆　この文章は、民主主義学生同盟の公式の綱領的文章ではない。いつ誰が書いたものか明確ではないが、組織の中で先輩から後輩へとコピーされて伝えられていたものである。

☆　文中の数字は和数字に変えた。〔　〕は、収録時の補足である。

注：「マル同」とはマルクス主義学生同盟の略称。後に、革マル派と中核派に分裂した。

あとがき

この本のゲラが出来上がってきて見直しをしていたある日、やけにリアルな夢を見ました。

夢の中で私はゼネラル・ストライキに参加しています。ゼネラルストライキとは、一つの会社や一つの産業の枠を超えて、全産業的、全地域的にストライキをすることです。いくつもの会社で、賃金が上がらずに生活できず、職場事故で労働者が亡くなる事件が相次ぎ、パワハラが吹き荒れる職場。すごい人数が職場を放棄して街頭に集まってきます。「もうがまんできない」というプラカードがいくつも見えています。民主主義学生同盟の時代に一緒に活動した仲間の顔もあります。私はなぜか混雑した電車の中でストライキへの支援カンパ（募金）を集めています。ストライキに参加する労働者の中には気の短い人もいて何やら怒鳴っています。やがて、ストライキの労働者に経営側の奴が殴りかかってきます。殴られて怒りを爆発させた労働者たちは経営側の奴をボコボコに袋叩きにし、殺してしまいます。あちこちで容赦ない乱闘騒ぎが起こっています。結局、経営側と労働者側と合わせて十人くらいが死んだらしいという情報が入ってきて、なぜか労働者側の犯人とみなされた人だけが逮捕され、死刑判決が出ます。

というところで目が覚めました。明け方のひんやりした空気。くっきりと頭が覚醒し、ああ夢だったのかと思ったところで目覚ましが鳴りました。

今の世の中、生活していけないような貧困な状況で、誰もが怒りとやるせなさとを感じながら生きています。しかし、怒りを爆発させてしまうと誰かを傷つけてしまうのではないかという気持ちが先に立ち、怒りを押し殺して我慢して生きているのです。

国や地方自治体の事業が電通やパソナなどの一部の与党政治家と結託した大企業に丸投げされ、中抜きが横行していること。コロナでたくさんの労働者が職を失いましたが、そのほとんどは非正規労働者であること。こんな不条理がまかりとおる現代の社会で、怒りを爆発させたら本当に経営側・権力側の人間を殺してしまいかねないほどの鬱屈したエネルギーがたまっているのです。エネルギーが溜まっている分、それを表に出すのが怖いという自制の念が働きます。自分で自分を抑圧してしまうのです。

重要なことは、いかにして非暴力で、人を傷つけずに怒りを爆発させるかということではないでしょうか。この点では、マハトマ・ガンジーの非暴力非服従の抵抗闘争や、キング牧師の非暴力闘争から学ぶことが多いと思います。一九七〇年に沖縄のコザ市で発生した「コザ事件」も、米軍兵士の犯罪に怒りを爆発させた住民たちによって繁華街で米軍車両が何十台もひっくり返されて焼き払われるという事件でしたが、一人の死者も出さず、暴動につきものと言われる商店の略奪もありませんでした。

思わず暴力に走りたくなる気持ちもわかる。しかし、暴力に訴えれば傷つく仲間が出てくるのであり、暴力に訴えれば権力側の思うつぼであり、非暴力であってこそ勝つことができる、そういう議論を政党・政治同盟の中でも大衆運動の中でも入念にやっておかねばならないということです。「暴力に走った人間はけしからんから警察に突き出せ」という短絡的な「反暴力」の発想では、問題は解決しないのです。

そういう時に、マハトマ・ガンジーもキング牧師も宗教者であったことが思い出されます。暴力に走りたくなる気持ちを無理やり抑えつけるのではなく、前向きな姿勢で緩和するには、人間の心の内面の問題が深くかかわっていて、伝統宗教の中にある自己コントロールの手法が役に立つのだと思います。宗教の中には「異なる宗派の人間は殺してもいい」という原理主義的な狂信的な宗派もあるのですが、シャカにしてもイエスにしてもムハンマドにしても、本来の宗教の姿は人びとが尊重しあって共存する生活重視の発想のはずです。

「あとがき」だというのに、夢の話を長ながと考察してしまいました。この本を書いたことによって、これまで頭の中でもやもやとしていたことが形をなしてきた気がします。長年の経験を整理したからか、いろいろなことが頭に浮かんできます。

古い資料を読み返してみると、カサカサに茶色に変色した紙のにおいと共に、当時の記憶が鮮やかに思い出されます。忘れてしまいたかったことも蘇ってきて、つらい気持ちになったりもしました。しかし、つらいことも含めて、それ以上に歴史を創ってきた民衆の一員であったという手ごたえがあり、民主主義運動に強く関与する人生であったことを、あらためて肯定する気持ちを持ちました。

この本のタイトルには「ソ連派」とありますが、自ら進んで「ソ連派」と名乗ったことはありません。私は「ソ連派万歳」ではありません。しかし、「ソ連派」だと言われ、言われても仕方ないような言動もしたことがあり、先輩方の様ざまないきさつを背負って悩みながらも正解を探し求めて苦闘してきました。その凸凹さをご理解いただきたいので、タイトルに「凸凹道」と付けました。

どのような方がこの本を手に取って下さるのかと考えます。かつて民主主義学生同盟で活動したという方もいらっしゃるかもしれません。別の党派であった方もいらっしゃるかもしれません。また、今現在の政府与党や企業や差別主義者の横暴と悪戦苦闘しながら日々を懸命に生きている方もいらっしゃるかもしれません。そんな方がたに、少しでも前向きなヒントを感じ取っていただければ、こんなにうれしいことはありません。この本を書いたことが、社会的にどう受け止められ、それが自分の人生にとってどんな意味を持つのか、不安も期待もあります。今日も、明日も、私たちは生きていることそのものが、新しい課題にぶつかるチャレンジの日々なのです。

最後に、私的な総括を文章化することを強く勧めていただき、完成までつきあっていただいたロゴスの村岡到さんに感謝したいと思います。

二〇二一年一一月一九日

吉田健二

吉田健二（よしだ・けんじ）

1963 年生まれ
1989 年　京都大学卒業
その後、民間企業で働いている

凸凹道：「ソ連派」の青春――民学同を生きて

2021 年 12 月 15 日　初版第 1 刷発行
著　者　　　　吉田健二
発行人　　　　入村康治
装　幀　　　　入村　環
発行所　　　　ロゴス
〒 113-0033　東京都文京区本郷 2-6-11
TEL.03-5840-8525　FAX.03-5840-8544
URL http://logos-ui.org　　Mail logos.sya@gmail.com
印刷／製本　　株式会社 Sun Fuerza

定価はカバーに表示してあります。 ISBN978-4-910172-11-8　C0031